L'ANNÉE DES COQUELICOTS

DU MÊME AUTEUR

BEAUCHABROL, Lattès, 1981, Souny, 1990
BARBE D'OR, Lattès, 1983, Souny, 1992
L'ANGÉLUS DE MINUIT, Robert Laffont, 1989
LE ROI EN SON MOULIN, Robert Laffont, 1990
LA NUIT DES HULOTTES, Robert Laffont, 1991
Prix RTL-Grand Public 1992
LE PORTEUR DE DESTINS, Seghers, 1992
Prix des Maisons de la Presse 1992
LES CHASSEURS DE PAPILLONS,
Robert Laffont, 1993
Prix Charles-Exbrayat 1993
LE CHAT DERRIÈRE LA VITRE (nouvelles),
L'Archipel, 1994
UN CHEVAL SOUS LA LUNE,
Robert Laffont, 1994
CE SOIR, IL FERA JOUR
Robert Laffont, 1995

GILBERT
BORDES

L'année des coquelicots

ROMAN

ROBERT LAFFONT

ISBN : 2-221-08410-1

1

– Non ! Ils ont osé !

Urbain Viallet, la lettre recommandée à la main, lève les yeux vers la porte de l'ascenseur qui s'est refermée sur le facteur. La cage descend avec un bruit métallique, le voyant rouge clignote. La porte du rez-de-chaussée s'ouvre et son grincement s'amplifie dans tout l'escalier.

– L'année commence bien ! dit Urbain d'une voix basse, pleine de colère contenue.

Pour lui, cette menace de licenciement, c'était du chantage. Quand Henri Simonet l'a convoqué au début du mois de novembre dernier pour lui expliquer que la SIMA envisageait de se séparer de lui, il n'y a pas cru et a souri ; Simonet aussi a souri. « Nous sommes conscients des services que tu as rendus à la société ! a dit le directeur général. Mais tu comprends qu'avec ce rachat par les Allemands nos nouveaux financiers regardent les effectifs de très près. » Urbain a continué de sourire, mais ses mains étaient moites et il avait l'impression subite de se trouver suspendu au-dessus d'un gouffre. Il a crâné : « Tu sais bien que je ne suis pas en peine. » Simonet avait compris l'allusion à la PRITA, la société concurrente, l'ennemie qui, aux beaux jours, en 1990, avait tenté de débaucher Urbain. Avec les conseils avisés de Martine, celui-ci avait su en profiter pour obtenir une augmentation, pas très élevée, certes, mais qui montrait bien que la SIMA souhaitait le garder. Et voilà que, quelques années plus tard...

Urbain entre chez lui, ferme la porte. La lettre est toujours dans sa main, un brûlot à ne pas montrer, quelque chose de sale, de honteux. Sa condamnation. Il la range dans son sac et va s'asseoir sur le canapé en cuir noir du salon. Tout à coup, cet appartement lui semble étranger, ou plutôt c'est lui qui n'est plus d'ici. Ce vieux vaisselier trouvé aux puces de Clignancourt, cette table massive achetée à la salle des ventes du XIIe arrondissement, ces livres anciens sur l'étagère, tous ces bibelots, récupérés au hasard des brocantes qu'il aime tant, semblent venir d'une autre vie comme si, d'un coup, avec cette lettre, il n'était plus lui-même. Il quitte le salon, traverse la salle de séjour, passe dans la cuisine. Jamais son appartement ne lui a paru aussi grand. La belle affaire ! Sur la table de la cuisine, Julien a laissé son bol, son couteau à la lame souillée de beurre. Des miettes constellent la nappe. Julien, son deuxième fils, un papillon attiré par les fleurs vénéneuses. Il redouble sa première et ne travaille pas suffisamment. Comment lui faire prendre conscience qu'il est en train de gâcher son avenir et que, si Urbain se met souvent en colère, c'est parce qu'il est son père et qu'il veut lui éviter pas mal de déconvenues, pas mal d'erreurs ? Heureusement, il y a Vincent, l'aîné, si brillant, si calme... Il sera ingénieur. En ces temps difficiles, seuls des diplômes sérieux peuvent tenir à l'abri du chômage... Urbain est diplômé, lui, de l'Institut des hautes études commerciales de Toulouse, une des écoles les plus cotées après HEC, et voilà que...

Mais comment annoncer la nouvelle à Martine et aux garçons ? Il parcourt des yeux sa cuisine tout en chêne ancien, les placards au mur, les portes aux moulures patinées, le lave-vaisselle encastré, le four à air pulsé. Tout ce confort jusque-là quotidien, ordinaire, lui paraît maintenant excessif, monstrueux. Pour s'occuper les mains, il range le bol, nettoie le couteau de Julien. Une lumière grise flotte sur Paris. En face brille dans ce matin blafard d'hiver le dôme des Invalides.

Il passe dans le bureau qu'il partage avec Martine. C'est là qu'elle corrige ses copies, qu'elle prépare ses cours. Urbain y met la dernière main à des rapports, à des projets, il s'y enferme pour lire. Sur une étagère de la bibliothèque se trouve la photo de ses parents, agriculteurs en retraite à Turenne, en Corrèze, son père, Auguste, sec, noueux, mais d'une résistance à toute épreuve, sa mère, Éloïse, charpentée, hommasse et qui ne baisse les yeux devant personne. Ils ont acquis leur petite propriété en se privant toute leur vie, mais c'est la fierté de ces anciens métayers...

Urbain regarde sa montre, entre dans la salle de bains. La grande glace lui renvoie son visage qu'il découvre tout à coup vieux, ridé. Il se trouve laid avec son crâne chauve, ses petits yeux noirs... Ses tempes grises rappellent que le temps a passé. Si vite, d'ailleurs ! Des années identiques dont il ne garde que des souvenirs qui se confondent. La naissance des enfants, les vacances d'été, d'abord à Turenne, puis au Grau-du-Roi, « pour les enfants », précisait Martine, mais c'était surtout pour ne pas rester en Corrèze où elle s'ennuyait. Vincent a gravi les échelons scolaires sans le moindre heurt. Julien a fait des siennes dès l'école maternelle... Urbain frappe du poing le lavabo d'émail rose.

– Non, c'est pas possible ! fait-il en secouant la tête.

Dès lundi, il ira voir Henri Simonet. Il fait peut-être double emploi à la direction financière, mais on peut lui trouver autre chose dans cette immense maison...

Il prend sa veste et sort, fait quelques pas dans le boulevard La Tour-Maubourg, va flâner sur l'esplanade des Invalides, entre les grands parterres, et poursuit sa promenade jusqu'à la Seine. Déjà quelques touristes japonais photographient le pont Alexandre-III. Ici, il est chez lui. La chance lui a permis d'hériter de son appartement dans cet endroit privilégié de Paris : une sœur de son père, employée au ministère des Finances, et morte sans enfant, l'avait acheté pour une bouchée de pain à la fin de la guerre... Il arrive en face du port des Bateaux-Mouches. C'est la promenade ordinaire du dimanche après-midi avec Martine. Ils vont jusqu'à la place François-Ier, la rue Bayard et reviennent en contournant le Grand Palais. Vers cinq heures, en hiver, ils boivent un thé. La nuit tombe lentement, Urbain prend un livre, Martine fait des mots croisés ou travaille à ses cours. Vincent et Julien sont là. Vincent étudie ou rêve dans sa chambre et Julien regarde la télévision. Des heures calmes qui se répètent, dont Urbain mesure à cet instant le bonheur simple.

Le soleil se voile d'une brume froide. En fils de paysan, les détails du temps n'échappent pas à Urbain, qui sait que cette brume annonce de la pluie ou de la neige. Il rentre chez lui malgré une vague envie de fuir, de prendre sa voiture et de s'en aller au hasard des routes et de ne plus jamais paraître avec sa honte devant Martine et ses fils. Dans l'entrée de l'immeuble, il croise Mme Legin, l'épouse du cardiologue qui occupe les deux appartements du rez-de-chaussée. Elle le salue avec un sourire qui montre ses grandes dents. Il grimpe l'escalier en courant.

Martine est là, à sa place habituelle, qui corrige ses copies. C'est une brune aux yeux sombres. Ses cheveux courts dégagent ses petites oreilles. Elle remonte ses lunettes d'un geste machinal.

– C'est toi ? fait-elle. Tu étais sorti ?

– J'étais allé acheter *Le Figaro*.

Elle reprend sa correction sans s'apercevoir qu'Urbain n'a pas de journal. Dans le salon, il ouvre *Le Figaro* de la veille. Les lettres, les mots tremblent devant ses yeux. Il cherche ses lunettes, mais ne les trouve pas. Aucune importance ; son esprit est bien trop lourd pour lire. Il ne pense à rien. Un poids immobilise son cerveau, le fige dans un néant douloureux.

– Pour midi, j'ai acheté de l'entrecôte ! fait Martine de son bureau. Avec des pommes de terre sautées, Vincent aime tant ça.

Martine sait parler de ces petites choses qui font le quotidien et leur donner toute leur valeur. Urbain a écouté cette voix évoquer l'entrecôte et les pommes de terre sautées comme si elle venait d'une autre planète très proche et inaccessible. L'impression de marcher séparé des autres par une vitre le retient muet, comme un spectateur au cinéma.

– J'ai pris du poisson pour ce soir. Julien n'aime pas beaucoup, mais pour une fois...

– Au fait, ce n'est pas ce soir qu'on dîne chez les Roger ?

Il ne reconnaît pas sa voix ; quelqu'un d'autre a parlé à sa place. Il pense à son sac posé au pied de sa chaise dans le bureau, devant les yeux de Martine. Si elle veut prendre les papiers de la voiture ou n'importe quoi d'autre, elle trouvera la lettre de licenciement... Tout à l'heure, Urbain la brûlera.

– Non, dans quinze jours, dit Martine sans lever les yeux. Tu as pris le courrier ? Il n'y avait rien de particulier ?

– Rien. De la publicité, comme toujours...

La porte s'ouvre. Un jeune homme brun, aux cheveux courts, entre. Il est plus grand qu'Urbain, mais a les mêmes petits yeux sombres et les joues rondes de Martine.

– Salut, p'pa ! dit-il d'une voix gaie.

– Salut, Vincent !

Le jeune homme regarde un moment son père.

– Tu en fais, une tête ! Tu as un souci ?

– Non, pourquoi ?

Vincent bavarde un moment avec sa mère dans le bureau puis va dans sa chambre. Julien n'est pas encore rentré du cours Laurent de la rue de Vaugirard, une école privée ultramoderne où l'enseignement est dispensé en trois langues. C'est un internat un peu cher, mais si Julien y prenait le goût du travail Urbain et Martine ne regretteraient pas cette dépense.

Midi sonne à la pendulette du salon qu'Urbain a dénichée dans une brocante de la porte Maillot. Martine pose ses lunettes et range son stylo. Urbain met le couvert tandis qu'elle fait cuire l'entrecôte. Quand c'est prêt, Vincent arrive. Brillamment reçu au bac C, il fait math sup. à Stanislas, une école privée, car Urbain, en provincial, se méfie toujours des pièges de la capitale et de l'école publique. Il a voulu protéger ses enfants des mauvaises rencontres, des tentations. On en dit tant sur ces immenses lycées, véritables marchés ouverts de la drogue !

Vincent se confie peu et, comme il réussit bien, ses parents ne lui posent pas de questions. Martine lève les yeux sur le jeune homme.

– Comme tu as l'air fatigué ! dit-elle.

Les remarques de Martine sont toujours très justes. Elle n'a pas besoin de beaucoup de mots pour se faire comprendre, un regard suffit souvent.

– J'ai travaillé jusqu'à deux heures du matin...

Urbain se tait. Il grignote un coin de son entrecôte puis repousse son assiette.

– J'ai pas faim ! dit-il.

Martine s'inquiète.

– Toi aussi, tu as quelque chose qui ne va pas ?

– Moi ? Non, tout va bien !

Sa voix est peu naturelle, mais Martine n'insiste pas et commence à ranger la table. Cette routine du quotidien qui parfois révolte Urbain reste le ciment de la famille qui se retrouve à heures régulières dans cette pièce. À part la petite promenade du dimanche après-midi, Urbain et Martine ne font rien ensemble et c'est très bien ainsi. Chaque fois qu'il peut, Urbain court les salles de vente, les puces, les antiquaires où il achète parfois des objets anciens qui encombrent l'appartement et la cave. Hélas, sa fonction de directeur financier lui laisse si peu de temps ! Il a donné à la SIMA ses jours et parfois ses nuits pour en arriver là.

Cet après-midi, il n'a pas le cœur à sortir. Il va d'une pièce à l'autre, prend un livre, le pose. Martine, qui fait du repassage dans la cuisine, demande :

– Mais qu'est-ce que tu as ? Un souci ?

Urbain explose.

– Mais j'ai rien !

Il a crié d'une voix aigre. Martine reprend son travail.

– Ce n'est pas la peine de t'énerver ! dit-elle calmement. Je te connais et je sais que...

– Fiche-moi la paix ! Tu entends : la paix !

Il s'enfuit dans le bureau et claque la porte.

Julien arrive à six heures. C'est un adolescent blond, le visage osseux, le regard bleu. Il est grand, maigre, un peu voûté. Ses cheveux sont coupés court sauf une longue mèche sur le devant. Urbain déteste cette coiffure qu'il trouve faite pour choquer tout comme l'anneau qui pend à l'oreille gauche du garçon. Quand Julien est revenu avec cette boucle, Urbain s'est mis en colère, Julien lui a tenu tête ; Martine s'est interposée. « Tu ressembles à la Vache qui rit ! » a décrété Urbain, et on n'en a plus jamais reparlé, pourtant cette petite fantaisie en plaqué or pèse très lourd dans les relations entre le père et le fils.

Julien embrasse sa mère, son père, son frère et, sans un mot, s'assoit devant la télévision. Le garçon passe ainsi des heures avachi sur le canapé à regarder des films américains. Urbain ne fait pas de remarque, mais cette attitude le révolte. Il en veut à la télévision nationale d'être l'arme de la décadence pour toute une jeunesse privée de repères solides.

Sans un mot, Urbain s'occupe à mettre le couvert. Martine le suit des yeux. Quelque chose ne va pas, c'est certain. L'air pèse autour de lui, ses mouvements n'ont pas leur aisance naturelle et cette manière qu'il a, ce soir, de détourner la tête... Ça ne lui ressemble pas.

Il revient dans le salon.

– Au fait, demande-t-il à Julien, tu as eu des notes, cette semaine ?

L'adolescent fait une grimace et dit, sans quitter l'écran des yeux :

– De toute façon, je sais que je vais me faire engueuler !

– Si tu travaillais et si tu faisais ce qu'il faut, tu ne te ferais pas engueuler ! réplique Urbain dont la voix est montée d'un ton.

Julien va chercher son carnet de notes et le tend à son père qui l'ouvre, debout à côté du canapé.

– Ce 4 en math, ça vient d'où ?

Julien a un mouvement des épaules. Sa boucle d'oreille renvoie un petit rai de lumière jaune.

– La prof peut pas me blairer.

– Comme ça, c'est la faute de la prof si tu as eu une mauvaise note ! Avec toi, les autres ont toujours tort !

Le ton est encore monté. Martine, qui ne supporte pas l'attitude désinvolte de Julien, s'en mêle.

– Un 4 en math alors que tu redoubles ta première, tu crois que ça peut durer, ça ?

– C'est bien ce que je disais, marmonne le garçon sans tourner la tête de la télévision, c'est ma fête !

– En plus tu deviens insolent ! crie Urbain. C'est ta manière à toi de nous remercier ! Imagine ta chance, c'est pas tout le monde qui peut se payer le cours Laurent !

Le visage de Julien se contracte, il pousse cette mèche folle qui tombe toujours devant ses yeux.

– C'est toi qui as voulu que j'y aille ! dit-il d'une voix aigre.

La colère aveugle Urbain. Elle est montée en lui lentement, toute la journée, comme l'orage en été, et n'attendait qu'une occasion pour éclater. Il se détend. La gifle atteint Julien à la figure. Martine n'a pas eu le temps d'intervenir.

– Urbain, qu'est-ce qui te prend ? crie-t-elle en s'interposant.

– J'en ai assez de lui ! C'est chaque samedi la même chose !

La télévision hurle une musique de sons saturés, agressifs et vulgaires. Blême, Julien pousse de nouveau sa mèche, se lève et prend son sac posé dans l'entrée.

– Puisque c'est comme ça..., dit-il d'une voix blanche.

Il n'achève pas sa phrase et sort. Martine se précipite.

– Julien, où vas-tu ?

Le son de sa voix s'est répercuté dans l'escalier, de palier en palier. Les voisins apprennent qu'il y a encore une dispute chez les Viallet. La porte de l'immeuble se ferme. Le silence revient. Martine s'approche d'Urbain, qui regrette son geste. Vincent sort de sa chambre. Ce n'est pas la première fois que son frère prend la porte, mais, ce soir, rien n'est comme d'habitude.

– Bon, je vais le chercher ! dit-il en prenant son blouson.

Martine demande :

– Dis-moi ce qui se passe, Urbain. Tu n'es pas dans ton état normal.

– Mais rien du tout, nom de Dieu ! C'est ce gamin qui m'exaspère. Il doit comprendre que rien n'arrive sans travail !

Urbain s'assoit, tape rageusement sur la commande de la télévision. Un immense abattement s'empare de lui.

Une heure passe. Martine retourne dans le bureau, son refuge, s'occupe en feuilletant un manuel de français. Julien n'est pas un mauvais garçon, mais tout est compliqué chez lui. Sensible, épidermique, un mot suffit à le vexer et il montre ses griffes, comme un chat qui a peur. Il est fragile, influençable, et suit n'importe qui pourvu qu'il paraisse fort. Martine voudrait le comprendre et parler avec lui, mais chaque fois il se cabre, s'enferme dans un mutisme total. Il se dit incompris, délaissé par le monde entier.

La porte s'ouvre, c'est Vincent.

– Julien est en bas. Il dit qu'il ne reviendra jamais.

– Je vais le chercher ! fait Martine.

2

Martine presse le pas. Elle arrive place de l'École-Militaire par l'avenue de La Motte-Picquet et se dirige vers le métro. Le ciel est gris sur les toits de Paris, mais il fait doux.

Ce week-end, rien n'allait à la maison. Urbain a été exécrable. Julien est resté enfermé dans sa chambre et ne s'est montré qu'aux repas, pendant lesquels il ne levait pas les yeux de son assiette. Heureusement, il y avait Vincent, le gentil Vincent, sans histoires, à qui tout réussit et qui encore, à vingt ans, sait la serrer dans ses bras...

Elle a parfois l'envie folle de s'en aller, d'abandonner tout pour prendre un train, un avion et débarquer sur un autre continent où elle renaîtrait à une nouvelle vie. Le temps ne passe pas assez vite, elle voudrait être vieille pour ne plus avoir ses enfants à charge et arriver à l'insensibilité du corps et de l'esprit. Vieille comme ses parents qui n'ont que le souci de survivre jusqu'au lendemain...

Sa vie est consacrée aux autres, ses enfants, son mari, ses élèves qui ne lui laissent aucune liberté. Chaque pas qu'elle fait leur est destiné. Coudre un bouton à la chemise de Vincent, faire nettoyer la veste d'Urbain, préparer les repas, corriger ses copies, tout est pour eux. Martine est écrasée par ce quotidien sans rêve. Elle dit souvent qu'elle prendra un avion... Et puis elle sait bien que ce n'est pas vrai.

L'attitude d'Urbain la tracasse. Quel est ce souci qu'il ne veut pas partager ? Il fait tellement partie d'elle-même qu'elle ne le voit plus comme un homme, mais comme un double de sa personne. Et pourtant, après tant d'années, elle se dit parfois qu'à force d'être ensemble, de s'asseoir à la même table, l'un en face de l'autre, de dormir dans le même lit, ils ont fini par éviter certains sujets. Au-delà de la partie commune, il y a tout le reste, qui ne s'exprime pas et qui conditionne tant de gestes, tant de mots dont le véritable sens échappe toujours.

Elle arrive au métro, suit les couloirs sans voir les gens, nombreux à cette heure. Assise à même le sol, une vieille femme tend la main. Son regard croise celui de Martine qui cherche une pièce qu'elle laisse tomber dans la boîte de pastilles. « Merci, dit la mendiante d'une voix cassée, je vous souhaite une très bonne journée. » Martine n'aime pas le métro. Elle n'a qu'une hâte, fuir cette cohue, cette odeur qui serre la gorge, et arriver dans sa classe. Là, c'est l'oubli total. Elle se donne à son travail, à ses élèves. Les soucis restent dehors ; elle les retrouvera tout à l'heure, intacts...

À la sortie du métro, elle rattrape Armelle Giroudet, son amie. Armelle a trente-cinq ans, c'est une belle femme brune, coquette, toujours de bonne humeur. Elles s'embrassent ; des pigeons rassemblés sur le trottoir s'envolent à leur passage. Martine remarque le nouveau tailleur de sa collègue.

– Jean-Jacques n'était pas content ! dit Armelle en riant. Mais zut ! S'il faut toujours tout se refuser !

Elle rit. Armelle ne se refuse jamais rien. Cette insouciance agace parfois Martine, qui se sent toujours ligotée, prisonnière de quelqu'un ou de quelque chose.

– Toi, tu as l'air préoccupée, constate-t-elle.

Martine hausse les épaules.

– Comme d'habitude... Julien... Et puis Urbain ne vas pas en ce moment.

– Un souci de boulot ? Ça va s'arranger, t'en fais pas !

– Il n'a rien voulu me dire !

Elles arrivent au collège. Les élèves bavardent par groupes, le sac tyrolien sur l'épaule. Martine et Armelle traversent la cour et vont à la salle des professeurs. Il y a là Thierry Ceront, professeur d'histoire-géographie, puis Hélène Leroit, une grande perche un peu folle, mais douce, Albertine Usses, qui enseigne l'anglais, une petite brune aux cheveux très frisés. Martine embrasse Jacques Perrot, son collègue de français. Il porte une barbe abondante ; ses cheveux gris couvrent ses oreilles. Divorcé, il a la garde de sa fille de douze ans, Marjolaine, que Martine gâte. Elle tend la main à Guy Duchamp, un petit homme chauve, rondouillard, enfermé dans son éternel costume gris. Les élèves l'appellent Bichon et ce surnom lui va si bien que même ses collègues l'utilisent en son absence.

Enfin, la sonnette retentit. Les cris s'arrêtent dans la cour, les groupes d'élèves entrent en silence dans les couloirs. Martine et Jacques Perrot rejoignent ensemble leurs classes voisines.

– Tu n'as pas l'air dans ton assiette ? fait Jacques en se grattant la barbe du bout de l'index.

– Bof, fait Martine, tout passe. L'expérience montre que les petites choses s'oublient vite.

– Ton fils ?
– Oui, et mon mari semble avoir un gros problème de boulot...
– Pourquoi n'as-tu pas épousé un enseignant ? Là, pas de problème de boulot !
– Un enseignant ? Ce serait affreux !

Urbain entre dans sa BMW et regarde sa montre. Huit heures. D'ordinaire, il est déjà à son bureau, mais, ce matin, il a pris son temps.

Depuis que la SIMA a déménagé à Levallois-Perret, il va travailler en voiture. Il traverse le pont des Invalides, suit l'avenue Franklin-Roosevelt en direction de Saint-Lazare. Le week-end a été interminable. Hier, pendant la promenade, Martine et lui n'ont pas échangé un seul mot. Ils se donnaient la main par habitude, mais ne se parlaient pas. Martine pensait à Julien, au moyen de forcer ce mur de protestations et de calmer sa détresse d'adolescent perdu. Urbain se disait qu'il ne pourrait pas se taire indéfiniment et que la vérité finirait bien par se découvrir... À moins qu'il n'invente un mensonge salvateur...

Un mensonge... Pour protéger sa dignité, l'image qu'il aime donner de lui à ses enfants, à sa femme, celle d'un homme de mérite dont le travail acharné permet à la famille l'aisance matérielle. Et puis Martine continuera-t-elle d'aimer un chômeur, un inutile, un raté qui, à quarante-cinq ans, se trouve en retrait de la vie ? Ce matin, en arrivant à l'immeuble cossu de la SIMA, tandis qu'il gare sa voiture dans le parking réservé aux cadres, une seule chose le tracasse : il va perdre la face. Reconnaître sa défaite après tant d'années victorieuses, baisser la tête devant ceux qu'il aime est pour lui une épreuve insurmontable. Alors ?

Il prend l'ascenseur et arrive au premier étage, suit un couloir feutré, tendu de tissu crème. Chaque porte donne sur un bureau de direction, celui d'Henri Simonet, presque toujours absent, celui de Jendère, son adjoint, un petit brun, exécutant précis, celui de Pierre Bourd, arrivé depuis un an avec le titre d'adjoint de direction...

Macha, sa secrétaire, arrive emmitouflée dans son manteau beige. Son visage est régulier, celui d'une grand-mère un peu hautaine, rayonnant, épanoui par un bonheur simple et quotidien. Ils travaillent ensemble depuis huit ans. Un lien particulier s'est noué entre eux, fait d'estime et de respect mutuel. Elle sait trouver les mots qui rassurent et rien ne peut altérer sa confiance dans l'avenir.

Elle salue Urbain, pose son châle et son manteau.

– C'est fait ! dit Urbain. J'ai reçu ma lettre.

Macha prend un air étonné, mais elle est au courant comme tout le monde, seul Urbain a douté jusqu'au dernier moment. Son licenciement est inscrit dans les projets de la maison depuis un an. Pour la grande direction, celle qu'on ne voit jamais, les financiers, acheteurs de l'ancienne société, le poste d'Urbain est de trop. L'adjoint de direction Bourd peut faire le travail. À quoi bon payer un cadre devenu inutile ?

– Je vais téléphoner à Jean...

Urbain veut parler de Jean Bloth, parti de la SIMA pour aller à la PRIMA, société concurrente dont il est maintenant le président-directeur général. À l'époque, Jean lui avait proposé une place au directoire. C'était avant le rachat de la SIMA par le groupe allemand PTRF et l'arrivée de Pierre Bourd. Macha a longtemps travaillé avec Jean Bloth et le connaît bien. Elle en parle avec admiration et amitié.

– Vous voulez que je l'appelle ? demande-t-elle.

– C'est pas la peine, je le ferai moi-même.

Macha retourne à son bureau, mais son visage fermé montre bien qu'elle ne va pas au bout de sa pensée.

Dans le couloir, la voix claire de Simonet retentit. Urbain sort, le salue et dit :

– Henri, je voulais te voir.

Simonet a trente ans. Obèse et pourtant très actif, son crâne chauve est énorme. Ses yeux très clairs lancent des éclats métalliques.

– Eh bien, entre dans mon bureau.

À la direction, tout le monde se tutoie. C'est le nouveau style, celui de Simonet. Autrefois, au temps du père Jacquet, les relations restaient strictement hiérarchiques. Au début, Urbain avait cru que ce tutoiement allait rapprocher les gens, mais non. Il rend les choses plus sournoises. Simonet sait raconter sa blague à l'occasion, parler de la pluie et du beau temps, mais il est le patron et n'a pas besoin d'élever la voix pour le rappeler.

– Oui, dit-il à Urbain en s'asseyant sans manières derrière son bureau. Je sais que c'est difficile pour toi, mais tu n'es pas à la rue. Tu seras vite recasé et tu vas toucher le gros paquet. Sache que je ne suis pas responsable de cette décision. Je m'y suis opposé autant que j'ai pu, mais les ordres viennent de Bonn. Si je peux faire quelque chose...

Comme il ment bien ! Urbain est persuadé que c'est lui, Henri Simonet, qui a provoqué son licenciement pour ne pas subir au quotidien un aîné qui connaît la maison mieux que lui, qui peut trouver des arguments solides contre certaines décisions... Urbain serre les lèvres.

–Je ne suis pas un mendiant, Henri. Je suis assez grand pour me démerder seul. Au niveau de l'indemnité, j'ai rien à dire. Mais si je pouvais partir avant trois mois...

Simonet sourit, pousse son fauteuil, va vers la fenêtre, les mains dans les poches.

– Tu fais ce que tu veux. Si tu veux partir à la fin de la semaine, c'est sans problème. Je me débrouillerai avec Pierre.

Urbain sent la colère monter en lui. Ah, s'il pouvait tout casser ! Il n'est pas fait pour la hiérarchie et n'a pu la supporter jusqu'à présent que parce qu'il était au sommet. C'est un individualiste et son orgueil saigne ce matin, en face de ce jeune P.-D.G. de quinze ans son cadet.

–Alors, c'est d'accord. Je partirai à la fin de la semaine.

Il a envie de partir tout de suite et c'est peut-être ce qu'il va faire. Il voudrait quitter Paris, retourner chez lui, à Turenne, boire un coup avec le père Léonard qui tient le bistrot de la gare, en dessous de l'orgueilleux donjon, évoquer sa jeunesse un peu turbulente, les bals à Meyssac et à Collonges, les Parisiennes en vacances dont l'une est devenue sa femme...

Urbain revient dans son bureau, ferme la porte et décroche son téléphone. Il hésite ; cette douleur vive qu'il ressent au ventre chaque fois qu'il doit entreprendre une démarche importante le retient un moment immobile. Ce qu'il va faire lui coûte beaucoup. Il compose un numéro.

–Je voudrais parler à Jean Bloth.

Une secrétaire dit : « Ne quittez pas. » Une autre lui demande le motif de son appel. C'est ça être important : plusieurs barrières pour arriver au maître tout-puissant. Enfin, une voix qu'il connaît, onctueuse, cette voix que devaient avoir les anciens moines confinés dans leurs monastères froids et pleins de secrets, lui dit un bonjour joyeux. Jean est originaire de Lille. Fils d'un médecin des mines, il ne sort d'aucune grande école et a progressé par son seul travail et sa compétence.

– Urbain, comment tu vas, mon ami ?

– Très bien, ment Urbain.

Ils bavardent un moment. Urbain parle de ses recherches aux puces et chez les brocanteurs, Jean de sa passion, la pêche à la ligne.

– Je suis allé en Norvège, l'été dernier. C'était pas très bon, dit Jean, j'ai pris quatre saumons en quinze jours, mais c'est trop court. Il faudrait rester le mois entier.

– Viens donc chez moi en Corrèze. Je t'emmènerai sur la Dordogne. Au fait, il faudrait qu'on se voie.

– Mais quand tu veux. Et si je peux t'être utile à quelque chose...

Urbain décide d'aller droit au but.

– Eh bien, voilà, tu sais comme les choses se passent ici. Je me souviens que tu m'avais proposé de venir avec toi. Si tu veux, on peut envisager...

– Certes, dit Jean d'une voix embarrassée, mais en ce moment, tu sais...

Urbain a bien compris. Une porte vient de se fermer avec un bruit de fer rouillé ; l'espoir qui lui permettait de garder la tête haute, de rester devant les siens un conquérant et non un vaincu vient de s'envoler.

Il raccroche, reste un long moment silencieux et regarde le mur du bureau, l'armoire, puis se tourne un instant vers la rue, encombrée de voitures à cette heure...

3

Finalement, Urbain ne part pas à la fin de la semaine. Il voulait tourner la page au plus vite, puis il a compris qu'il valait mieux profiter des trois mois de répit que lui laisse la loi pour trouver autre chose, maintenant que Jean Bloth lui a fait comprendre qu'il n'avait rien pour lui.

Il est allé voir un « chasseur de têtes » qui cherchait un directeur du personnel pour une grosse entreprise de prêt-à-porter. Les habits ou la SIMA, c'est toujours une société à diriger. L'homme, beaucoup plus jeune que lui, impeccable dans son costume sombre, ne quittait pas Urbain des yeux, le fouillait, cherchait dans chaque recoin de sa personnalité le petit morceau d'ombre qui lui permettrait de rayer sa candidature. Il lui a posé des questions sur son enfance à Turenne, sur Martine. Urbain s'est senti humilié par un tel interrogatoire. Il en est sorti sombre, désespéré : « Je ne suis rien, se dit-il. Je ne suis plus un être humain comme ces gens qui marchent sur le trottoir. Je dois oublier toute dignité et me déshabiller devant des petits prétentieux pour leur demander la permission de respirer ! »

Il fait gris sur Paris. Les pigeons roucoulent malgré le vent frais. Depuis plusieurs jours, un pavé grossit dans l'estomac d'Urbain et l'oppresse à ne plus pouvoir avancer. Ses semelles sont de plomb. Se lever le matin lui coûte. Et Martine ne cesse d'insister.

– Je sais que quelque chose ne va pas dans ton travail. Dis-moi, je suis là pour t'aider.

Chaque fois, il se met en colère.

– Écoute, laisse-moi tranquille, je n'ai besoin de rien et tu me casses les pieds !

Au début de leur mariage, Martine aurait très mal pris de telles rebuffades. Elle aurait pleuré ; maintenant, elle se contente de serrer les lèvres. Sous ses lunettes, son regard devient dur, puis indifférent. Si Urbain ne veut rien dire, c'est son affaire. Elle a l'habitude de ses tracas professionnels. Tout passe avec le temps et rien d'essentiel ne peut changer. Le quotidien, qui rassure, restera le quotidien avec ses corvées habituelles, ses disputes, ses réconciliations.

Souvent, elle s'en veut de le haïr ainsi pour des détails alors qu'elle n'imagine pas la vie sans lui. Parfois, au lit, lorsqu'il pose une main sur ses seins ou sa cuisse, elle en a la chair de poule, un mouvement de répulsion qu'elle regrette aussitôt. Ces jours-là, elle se force à être tendre, autant pour se rassurer que pour se punir. Jeune fille, Martine croyait que la vie à deux était d'une grande facilité. Elle pensait que l'amour pour un homme était un bloc, dur comme de l'acier, aussi brillant qu'un miroir, parfait. Elle a vite découvert que c'était plus compliqué, que la petite humeur du jour, la moindre contrariété ternissait parfois le beau métal et que, au fil des ans, la boule se déformait pour devenir une pieuvre dont les tentacules s'enfoncent dans les terres sombres de la personnalité qu'on préfère ne pas explorer...

C'est Julien, le samedi suivant, qui rapporte la nouvelle à la maison, une nouvelle trop lourde pour ses épaules maigres. Il titube comme s'il avait bu, baisse les yeux et son trouble crispe son visage rouge. En arrivant, il embrasse ses parents et, sans un mot, s'enferme dans sa chambre. Il ne sort que pour le dîner.

Les repas du samedi soir et du dimanche midi étant les seuls de la semaine où la famille se retrouve au complet, Martine évite les invitations. C'est le moment où chacun peut parler librement. Vincent mène le débat. Julien se tait le plus souvent. Il ose parfois émettre une idée que son frère contredit presque systématiquement. Alors, il rougit et marmonne : « De toute façon, je suis un taré, j'ai toujours tort. » Martine l'embrasse. Urbain tranche en donnant son avis, le seul juste, sur lequel personne ne revient.

Mais, depuis quelque temps, les repas deviennent des corvées pour Martine. Urbain se tait. Il n'ouvre la bouche que pour dire des méchancetés ou s'en prendre à elle, se mettre en colère pour des broutilles. Ce soir, Vincent essaie de détendre l'atmosphère en parlant d'un accident d'avion qui a fait deux cents morts aux États-Unis.

– De toute façon, le constructeur va s'arranger pour faire porter la responsabilité aux pilotes. Les enjeux économiques sont trop grands.

– Peut-être, fait Martine, mais c'est une attitude irresponsable.

Julien se tait, le nez dans son assiette, visiblement préoccupé. Sa longue mèche blonde pend sur sa joue droite. La boucle d'oreille brille sous la lampe. Urbain serre les lèvres : se mettre en colère lui ferait du bien et le comportement de Julien reste toujours une bonne raison.

– Eh bien, Julien, demande Martine. On ne t'entend pas beaucoup, ce soir. Quelque chose ne va pas ?

– Non, je t'assure, tout va bien ! fait l'adolescent.

– Tu t'es battu ? demande Vincent.

Vincent a la tête ronde de son père, ses cheveux châtains et courts. Il sera chauve, lui aussi, puisque ses tempes sont déjà dégagées. Sa facilité à l'école lui évite les tracasseries familiales et lui vaut la confiance absolue de sa mère. Urbain est plus nuancé : « C'est vrai, tu as une tête bien faite, mais fais tes preuves, on verra après ! »

Martine insiste d'une voix douce :

– Tu sais bien que tu ne peux rien dissimuler, Julien. Si tu as un souci, on est là pour t'aider.

– Mais non ! fait le garçon avec un mouvement d'agacement.

Le silence retombe dans cette cuisine qui a vu tant d'éclats. Tout à coup, Julien pousse sa chaise qui racle le carrelage et s'enfuit dans sa chambre, le refuge, l'endroit de toutes les colères et, parfois, de quelques confidences.

– J'y vais ! dit Martine en se levant.

Urbain et Vincent restent seuls. La lumière n'est plus aussi vive. Ils n'ont plus faim ; encore une fois, un repas bien commencé se termine mal. Avec Julien, ça ne peut être autrement, une chance qu'il ne soit à la maison que le samedi et le dimanche !

Quelques instants plus tard, Martine revient d'un pas lourd. Elle s'arrête un moment au milieu du couloir, regarde le grand tableau du salon acheté en 1978 par Urbain, les appliques au mur, les rideaux de velours bleu. Enfin, elle entre dans la cuisine, s'assoit. Dans son assiette, la côtelette d'agneau est froide.

– Qu'est-ce qui se passe ? demande Vincent. Qu'est-ce qu'il a encore fait ?

Martine remue la tête en signe de négation.

– Rien. Il n'a rien fait.

– Ouf ! Avec lui, faut s'attendre à tout. Alors pourquoi...

Martine, sans lever les yeux de son morceau de viande qu'elle déplace du bout de sa fourchette, dit d'une voix tranchante :

– Il a appris cet après-midi par un de ses copains du cours Laurent dont la mère travaille à la SIMA que ton père est licencié.

Un silence, celui qui précède l'explosion d'une bombe. Martine lève les yeux sur son mari, le regarde bien en face, un léger pli de dédain au coin des lèvres.

– Je comprends tout, maintenant !

Vincent ouvre de grands yeux. S'il s'attendait à cette nouvelle ! Urbain est vidé de son sang. Entendre sa condamnation de la bouche de sa femme, ici, dans cette cuisine, est une monstruosité. Il pourrait nier, raconter n'importe quoi, il crie :

– Et alors ?

– C'est ça, mets-toi en colère !

Urbain s'emporte.

– J'en ai marre de tes reproches, tu entends ! Ce sont mes affaires !

– Bien sûr, ce sont tes affaires !

Martine se met à débarrasser machinalement la table. Vincent s'isole dans sa chambre. C'est son habitude : quand les choses tournent mal à cause de son frère ou quand ses parents se disputent, il fuit, ça ne le concerne pas. Il s'enferme dans sa coquille en attendant la fin de l'orage.

Urbain se lève à son tour, range les couverts dans le lave-vaisselle.

– T'en fais pas ! dit-il, plus calme. C'est un mauvais tour de ce salopard de Simonet, mais j'ai déjà appelé Jean Bloth, tu sais bien qu'il m'a fait des propositions. Et puis, avec mon expérience...

– Et il t'a dit quoi, Jean Bloth ?

– On doit se voir..., crâne Urbain. Mais rien n'est fait. Moi, je ne veux pas travailler pour le salaire que j'ai actuellement. Il me faut cinq mille francs de plus.

– Tu seras bien content, s'il te prend ! dit Martine sans lever les yeux de l'évier.

– Toi, de toute façon, tu me sous-estimes tout le temps, j'ai l'habitude.

Le silence retombe. Julien a séché ses larmes et est revenu s'asseoir sur le canapé. Il regarde distraitement les programmes de la télévision.

– Et puis merde ! fait tout à coup Urbain.

Il a encore crié. Julien sursaute et lève ses yeux rouges sur son père, qui prend son manteau.

– Où vas-tu ? demande Martine.

– Je vais faire un tour. Je crève ici !

Il sort, marche au hasard des trottoirs déserts, passe devant une brasserie. À l'intérieur, des gens assis aux petites tables dînent ou boivent une bière. Des hommes sont accoudés au bar et bavardent. La vie est là... Urbain traverse le pont des Invalides. Paris vit malgré ce froid, cette brume qui colle les vêtements à la peau. Des voitures s'arrêtent au feu, repartent. Paris bouge, prend du plaisir et de la peine, il fait chaud derrière ces fenêtres où passent des ombres. Urbain, qui jusque-là se sentait très parisien, n'est plus qu'un étranger, un provincial rejeté. Paris le refoule. Il n'y a de place dans ce quartier aisé que pour la réussite. Les autres sont comme ce clochard assis sur un banc en pleine nuit avec un sac à côté de lui pour unique richesse.

Il se dirige vers les Champs-Élysées. Des groupes de promeneurs déambulent près des vitrines illuminées. Ici, la lumière est reine. L'Arc de Triomphe resplendit comme un défi à la nuit. Urbain emprunte l'avenue Montaigne ; un vieil homme lui demande une pièce. Il fouille dans sa poche et lui tend cinq francs. Rue Bayard, il s'arrête un moment devant l'immeuble de RTL et sa façade ornée de lames de métal. La radio l'étonne toujours : des moyens aussi lourds, autant de gens pour une seule voix qui s'en va dans les airs, offerte à tous et que personne n'est obligé d'écouter. Sa vocation, ce n'était pas la SIMA, c'était la brocante, les vieux meubles, les objets d'art, mais l'ambition lui a ouvert une autre voie, plus voyante, celle des études commerciales et des grandes directions. L'ambition n'est pas toujours bonne conseillère.

Quand il arrive chez lui, l'appartement est désert. D'habitude, le samedi, tout le monde prend son temps. Vincent et Julien regardent la télévision après s'être disputés pour le choix du programme, Martine et Urbain lisent dans leur bureau. Ce soir, chacun a fui dans son lit. Urbain pose son manteau et prend un livre. Comme il n'arrive pas à fixer son attention, il va se coucher à son tour. Martine ne dort pas.

– Qu'est-ce que tu vas faire ? demande-t-elle au bout d'un long silence.

Urbain ne répond pas, se tourne et ferme les yeux pour une nuit blanche.

4

Vincent prend son cartable, noue les lacets de ses chaussures. L'appartement est silencieux. Son père est parti le premier conduire Julien au cours Laurent. Sa mère est au collège. Le jeune homme jette un regard circulaire sur la grande salle de séjour. La lumière grise de la baie baigne les murs d'une couleur inhabituelle et change la signification du grand tableau abstrait de l'entrée. Une menace plane, prête à tout détruire. Vincent redoute le printemps qui sera bientôt là. Le monde a basculé pour lui samedi soir en apprenant la terrible nouvelle. Son père, jusque-là invincible, courbe l'échine, s'incline et dégringole de son piédestal. Quel terrible désaveu ! Alors, que peut-il espérer, lui, Vincent, avec un hypothétique diplôme d'ingénieur ? De nos jours, tout le monde est ingénieur et ceux qui sortent des meilleures écoles ne trouvent pas toujours du travail...

Dehors, le vent frais le surprend ; le ciel est gris. Le jeune homme relève le col de son blouson. Au métro, Valérie l'attend. C'est une petite brune au regard de souris. Son père est chirurgien. Lui ne sera jamais au chômage, certains métiers passent à côté de la crise... Valérie a rompu avec la tradition familiale qui voulait qu'elle devienne médecin : « Ras-le-bol, a-t-elle dit. Chez moi, on ne parle que d'estomacs ouverts, ou d'intestins mal foutus. C'est à se dégoûter de la vie. Tu finis par te demander s'il existe encore des gens en bonne santé. » C'est dit une fois pour toutes, Valérie sera ingénieur ! Vincent l'embrasse et ils se dirigent tous les deux vers le lycée en bavardant des cours.

– Au fait, demande Valérie, samedi prochain, c'est la soirée de Lionel. Tu viens ?

– Je crois pas. J'ai pas mal de boulot en retard !

Valérie fait la moue.

– Toi, tu ne penses qu'au boulot. Il y a autre chose dans la vie. Il faut aussi se distraire un peu !

– J'ai le temps pour ça. En attendant, il faut que je travaille.

Vincent n'aime pas beaucoup les sorties et les boîtes de nuit, mais il avait l'intention d'aller à la soirée de Lionel qu'il connaît, comme Valérie, depuis de nombreuses années. Maintenant, il ne sait plus ; rien ne pourra être comme avant. Va-t-il seulement pouvoir continuer son année scolaire ?

Ils arrivent au lycée, saluent Lionel Lebrun, un garçon très grand et très maigre, osseux. Lionel, Vincent et Valérie forment un trio indissociable. Ils travaillent ensemble, se comprennent au moindre regard, se disent tout. Ce matin, Vincent détourne les yeux, baisse la tête. Visiblement, il n'est pas en forme, ce qui n'échappe pas à Lionel.

– Eh bien, tu n'a pas l'air d'être dans ton assiette !

– Il ne veut pas venir à ta soirée, samedi ! fait Valérie.

Lionel fronce ses épais sourcils. Ses yeux se plissent. Son visage est long, ses pommettes saillantes. Un peu de barbe bleuit son menton.

– Comment ? Qu'est-ce que j'entends ?

– J'ai dit ça pour faire marcher Valérie !

– Toi, tu nous caches quelque et ce n'est pas bien !

D'autres étudiants arrivent et saluent le trio. Babette Lesire, Baba, comme on l'appelle, est une blonde, assez ronde. Ses aventures amoureuses nourrissent les conversations, mais on la respecte : son sens des mathématiques tient parfois du génie. Alain Québerec, descendant de Breton, est un superbe roux. Son visage large et son menton volontaire, ses yeux délavés de marin lui valent de nombreuses conquêtes qu'il méprise avec hauteur. Vincent et Lionel l'envient ; ils voudraient tant avoir sa facilité de parole, sa manière naturelle avec les filles.

– Ben, t'en fais une tronche ! dit-il à Vincent. Ton canari est mort ?

– Vous m'agacez, tous ! Non, j'ai rien. Je ne fais pas la tronche. J'ai bossé tard et je n'ai pas assez dormi, voilà !

La sonnerie retentit. Ils se dirigent vers la porte d'entrée ; Lionel souffle à Vincent :

– C'est ta Sylvaine qui te tracasse encore ?

Vincent hausse les épaules.

– Sûrement pas ! Je l'ai pas vue depuis le mois de décembre...

– Qu'est-ce que tu t'emmerdes avec cette prétentieuse ! Les nanas ne manquent pas !

Vincent ne répond pas, montrant par là que ce que vient de dire Lionel ne lui est pas indifférent. Sylvaine ! Son cœur s'emballe malgré lui. Sylvaine est la cousine de Babette, arrivée de sa province l'hiver dernier et rencontrée au hasard d'une sortie en groupe. Elle s'était assise à côté de Vincent et ils avaient parlé des étoiles, de Dieu qui se cachait derrière pour échapper aux hommes, bref, ils avaient dit n'importe quoi et bu quelques whiskes-Coca. Vincent avait eu assez d'audace pour l'inviter à danser. À la fin du slow, il avait gardé sa main dans la sienne. Le lendemain, ils s'étaient retrouvés dans un bar, rue Napoléon, puis étaient partis se promener dans le Quartier latin.

– Et qu'est-ce que tu fais comme études ? avait demandé Vincent.

Après une hésitation, Sylvaine avait dit :

– Je fais du droit, mais je suis obligée de travailler. Mes parents n'ont pas les moyens...

Ils s'étaient quittés à la nuit. Depuis, Vincent passe des heures à rêver, le nez à la fenêtre. Valérie, à qui rien n'échappe, n'a pas manqué de préciser :

– Elle t'a bien mis le grappin dessus ! Au fait, elle t'a dit qu'elle était étudiante en droit. Eh bien, non, elle n'est que caissière à Casino !

Vincent a pris cette remarque comme une attaque personnelle. Depuis, les deux jeunes gens évitent ce sujet.

Comme les autres, Julien n'a pas bien dormi. Quand son père l'a laissé devant la porte du cours Laurent, il l'a embrassé rapidement et a franchi le portail de l'ancien hôtel particulier. Dans la cour intérieure, d'autres élèves sont déjà arrivés. Costume, chemise blanche et cravate sont obligatoires. On est dans un milieu aisé, faut le montrer. Vincent a osé dire, un samedi soir à table, que ce carnaval n'avait pas d'autre but que de cacher la vérité : les élèves sont des recalés du système normal et les parents, pour se rassurer, croient ou feignent de croire qu'avec de l'argent tout s'achète, même les diplômes.

– L'enseignement en trois langues, les visites dans les grandes entreprises, les voyages aux États-Unis, c'est du pipeau ! Ça fait bien, mais c'est tout !

Julien a écouté et s'est tu. Il s'est contenté de serrer les lèvres, de rougir un peu en baissant les yeux sur son assiette, comme un condamné. Martine et Urbain n'ont pas protesté, ils savent que Vincent a raison, même s'ils n'aiment pas l'entendre dire.

Julien, qui n'a jamais aimé l'école, ne s'est pas mieux adapté à celle-ci qu'aux autres. La mentalité bourgeoise ne lui convient pas. Les élèves ont une haute idée de leur personne. Fils de parvenus pour la plupart, ils parlent en riches et méprisent les gens simples. Julien n'est pas de leur monde et n'appartient à aucun de ces clans qui se sont formés autour de la fortune. Il y a les très riches, ceux dont le nom évoque des affaires de réputation nationale. Ils regardent les autres avec hauteur, parlent volontiers de députés et de ministres de leur entourage. Viennent ensuite une dizaine de fils de vedettes de télévision ou du spectacle. Ceux-là n'ont pas besoin d'être riches pour avoir la considération de tout le monde, leur nom suffit. La majorité est cependant composée de fils de commerçants aisés, de petits entrepreneurs, de cadres. Ils sont la piétaille, ceux qui font les corvées, les exercices de math ou les dissertations !

Le directeur, M. Lepert, est un homme élégant qui sourit toujours à ses chers élèves. Son visage un peu rond inspire la confiance. Ses cheveux gris sont coiffés avec soin. Il a beaucoup de classe. Il gère avec sérieux son établissement qui comprend seulement deux niveaux, une classe de première et une terminale. L'internat est de rigueur.

Julien pousse sa mèche et rejoint un groupe d'élèves de sa classe. Il y a Thibaud Gard, un garçon de petite taille, les cheveux noirs et crépus, le nez écrasé. Fils de vieux, capricieux et suffisant, il traite les autres avec mépris. Son toupet et surtout les remarques blessantes qu'il sait trouver avec beaucoup d'à-propos lui valent toute une cour de faux copains. L'énorme Stéphane Betaud, au menton en soc, ne le quitte pas et boit ses paroles. Bertrand Desmarin a une fausse allure de premier de la classe, une grosse tête et des cheveux courts. Il vient d'un village près de Lille où ses parents, cabaretiers enrichis, disent avec orgueil que leur fils fait ses études à Paris. Ça suffit pour que chacun comprenne l'importance et le niveau de ces études.

Julien n'a pas d'amis. Il vit dans sa tête, dans ses rêves. Il supporte les brimades, et le soir, dans sa chambre – chaque élève a la sienne –, il s'ennuie. Sans but, sans ambition, le temps lui pèse.

– Alors, Viallet, tu vas partir ? demande Thibaud Gard.

– Pourquoi je partirais ?

– Mais ton père est bien au chômage !

– Au chômage ? dit en riant Desmarin. Le règlement devrait prévoir que les fils de chômeur sont virés. C'est une école de battants, pas de recalés.

Julien frémit. Des picotements agacent ses bras. Il regarde Desmarin dans les yeux.

– Mon père change de boîte, c'est tout !

Gard a un haussement d'épaules. Il est légèrement voûté. Ses yeux noirs luisent de dédain.

– Il change de boîte ? fait-il. Alors, c'est pour ça qu'il a reçu sa lettre de licenciement.

– Il a un boulot chez les concurrents ! insiste Julien, qui ne supporte pas qu'on parle ainsi de son père. Et il gagnera beaucoup plus !

La sonnerie annonce le début des cours. Les élèves se rassemblent à la porte d'entrée. Le surveillant leur demande de regagner les classes en silence.

Julien serre les poings. Il entre avec l'envie de tout casser, de crier cette colère qui lui noue si souvent le ventre. Personne ne peut le comprendre, pas même sa mère, et l'effort constant qu'il doit faire pour rester au milieu de ces adolescents avec qui il ne se reconnaît aucune affinité le broie.

La journée passe avec la lenteur et l'hypocrisie des journées d'école. Julien fait semblant d'écouter, mais il est ailleurs. Il rêve d'une plaine aux grandes herbes battues par le vent... Le soir, à la sortie du réfectoire, Gard a un mot qui arrache des larmes de rire à Desmarin :

– Les mecs, le père de Viallet a trouvé un autre boulot. Il est *Assedic* !

Julien ne relève pas la remarque et s'éloigne. À ce moment, son regard croise celui de Matthieu Jiens que les autres ont surnommé Bouteille parce qu'il porte de grosses lunettes. Matthieu est en terminale. Il a plus de vingt ans, c'est un garçon solitaire qui a su se faire respecter. Il reste seul, joue de son harmonica ou lit, assis sur les marches de l'escalier. Ses parents, divorcés, l'ont placé là pour avoir la paix et ne viennent jamais le voir. Il sort régulièrement en ville, mais personne ne sait où il va. Au début, Gard et sa bande ont voulu s'amuser à ses dépens. Ça n'a pas duré : Matthieu a pris Gard dans un coin et lui a parlé. Depuis, l'autre l'évite.

Ce soir, Matthieu s'approche de Julien, qui s'étonne d'une telle marque d'attention de la part de quelqu'un qui, jusque-là, l'a toujours ignoré.

– Gard est un con ! dit Matthieu. Un minable, un prétentieux.

Les verres épais des lunettes donnent au regard du jeune homme une fixité de reptile. Julien rougit, baisse la tête devant ce garçon plus âgé que lui et à qui il n'a jamais adressé la parole.

– Ça fait quelque temps que je t'observe ! fait Matthieu. Tu n'es pas très heureux ! Ça se voit dans ta manière de faire.

– Oui, c'est vrai ! répond timidement Julien.

Matthieu mesure pas loin de deux mètres. Il est très maigre et flotte dans sa veste.

– Ici, c'est connerie et compagnie ! fait-il. Ces abrutis se planteront au bac, mais ça n'a aucune importance. On les casera quelque part où ils continueront de se croire supérieurs. Ils épouseront une fille de leur milieu qui les trompera avec leur meilleur copain. Tu vois, rien que de la banalité !

Matthieu a une voix chaude, agréable. Julien s'étonne de l'entendre parler ainsi.

– Moi, je me débrouillerai autrement ! continue l'autre. Leur bac, je l'aurai cette année, mais ça ne sert à rien. Il faut savoir se démerder !

Ils ont marché dans le couloir. C'est l'heure où chacun regagne sa chambre où il est censé étudier. Mais la discipline n'est pas rigoureuse, les élèves se rendent visite, bavardent chez eux ou descendent regarder la télévision à la salle de jeux quand ils n'ont pas un poste dans leur chambre. Après un silence, Matthieu continue :

– J'ai un petit studio, rue du Regard. Si tu veux, on ira un de ces jours...

– Un studio ?

– Oui, c'est ma mère qui le loue pour que j'aie un pied-à-terre. Je vais quand même pas passer tous mes week-ends ici !

Il sourit, découvrant deux incisives qui se chevauchent.

– Tu comprends, continue-t-il, quand on a ma gueule et surtout quand on en a conscience, faut ce qu'il faut pour tomber les nanas !

Sa gueule ? Il n'est pas laid. Julien se contenterait de son physique, lui qui ne supporte pas de se regarder dans une glace.

– Bon, allez, bonsoir !

Julien, comme chaque soir, s'enferme chez lui. C'est le moment qu'il préfère, celui de la solitude, sans contrainte. Il peut s'inventer une autre vie. Souvent, il s'endort allongé sur son lit, la lumière allumée. Dormir le protège de la réalité, c'est une fuite douce.

Le lendemain, au petit déjeuner, Matthieu ne fait pas attention à lui et l'ignore toute la journée. Julien se demande s'il n'a pas rêvé, ce qui le dépite un peu. Il aurait aimé entendre sa voix grave, se laisser bercer par ses mots, ses propos désabusés. Enfin, le soir, après le dîner, tandis qu'il remonte à sa chambre, Matthieu l'accoste.

– Salut ! Ça va ?

– Ben, oui...

– Je sais que je peux te faire confiance. Suis-moi.

Matthieu entraîne Julien dehors. Le bâtiment principal, résidence au siècle dernier du duc de Mazelle, donne sur une petite cours, du côté de la rue de Vaugirard et, derrière, sur un ancien parc d'agrément assez grand où M. Lepert a fait construire des bâtiments en préfabriqué qui servent de salles de classe.

Quelques arbres ont été conservés près du bâtiment administratif. Dans ce petit parc, des groupes d'élèves se promènent en bavardant. Matthieu et Julien vont au pied d'un grand arbre où il fait sombre.

– Tu fumes ?

Julien rougit. Il n'ose pas avouer qu'il se cache pour fumer et que son père se fâche quand il sent l'odeur du tabac sur ses habits.

– Un peu, oui.

– Alors, goûte ça !

Julien ouvre de grands yeux. Il regarde la grosse cigarette que Matthieu lui tend.

– Mais... Mais c'est un joint !

– T'as jamais goûté ? C'est autre chose que le tabac !

– Mais c'est interdit !

– Tu parles ! Si tu ne devais faire que ce qui est autorisé, la vie serait bien terne !

– Mon père dit qu'on commence par ça et qu'après...

– Après, on finit avec la poudre ! Ton père dit ce que tout le monde dit, mais ce n'est pas vrai. Tiens, goûte.

Julien hésite. Matthieu dit avec un sourire :

– T'es un gamin qui n'a rien vu.

Alors, Julien porte la cigarette à ses lèvres, une fumée âcre envahit sa bouche.

– Aspire la fumée, sinon ça sert à rien !

– Et si on se fait piquer ?

– Personne ne nous piquera. Je ne suis pas le seul à fumer. Lepert le sait sûrement, mais il s'en fout tant qu'on ne s'affiche pas.

– Et la réputation de sa maison ?

– Aucun risque. Les parents s'arrangeront toujours pour étouffer l'affaire. Il n'y a pas de ça chez eux. Tu penses bien que leurs enfants sont sérieux ! Allez, aspire.

Julien aspire. La tête lui tourne. Il ne sait plus très bien où il est et doit s'appuyer contre l'arbre. Quand il rentre dans sa chambre, les murs dansent autour de lui, mais il se sent bien, comme déchargé de ce fardeau perpétuel qui écrase ses épaules, de cette peur au ventre qui le rend incapable de s'opposer aux autres et d'avoir des idées bien à lui.

5

À Paris, le printemps se manifeste plus tôt qu'ailleurs. Dès le mois de février, il s'annonce par des détails que la foule des passants pressés ignore. Les jonquilles fleurissent dans les parterres malgré les flocons de neige qui papillonnent par moments. Dans les jardins publics où chantent les oiseaux, l'odeur d'humus monte du sol aux premiers rayons de soleil. Les pigeons roucoulent, les mâles tournent autour de leur femelle en levant et baissant la tête dans une pantomime de séduction.

Urbain quitte la SIMA à la fin du mois de janvier. Il part avant la date pour fuir le regard de ses collègues, pour ne plus être le condamné que l'on réconforte à chaque coin de couloir. Il a refusé que Macha organise une petite cérémonie d'adieux pour ne pas avoir à supporter ses collègues faisant semblant de le plaindre. Il a dit à sa secrétaire :

– Je vais en profiter un peu !

– En profiter ? Vous croyez que c'est le moment ?

– Oui, c'est le moment. Je vais prendre deux mois de vacances, ça ne m'est jamais arrivé !

Chez lui, Urbain trouve Martine assise à son bureau avec ses sempiternelles copies. Comme ce n'est pas l'heure habituelle où il rentre, elle le regarde par-dessus ses lunettes.

– C'est fait ! dit Urbain. Je suis en vacances !

Il fanfaronne, comme si la SIMA allait être punie de son absence. Martine a envie de lui dire des méchancetés. Pourquoi éprouve-t-il le besoin de crâner ? Sans lever les yeux de sa feuille, elle lui demande :

– Et qu'est-ce que tu vas faire ? Tu as des nouvelles de Jean Bloth ?

– Je vais me reposer un peu. Oui, Jean m'a rappelé, mais on n'est pas d'accord sur tout. Moi, je vaux cher !

Pourquoi s'enfonce-t-il dans ce mensonge que Martine découvrira forcément un jour ? C'est du temps gagné. Plus tard, il avisera ; d'ailleurs, Urbain n'imagine pas l'avenir. Sous cette apparence désinvolte, il est las de tout, il voudrait dormir et ne penser à rien.

Le soir, à table, le silence est lourd. Personne n'a envie de parler. Le bruit des fourchettes résonne dans la tête d'Urbain comme un carillon infernal. Par moments, Martine lève furtivement les yeux sur lui. Ces regards rapides ne lui échappent pas et il en comprend trop bien la signification pour ne pas les ressentir comme des pointes acérées qui entrent au plus sensible de son orgueil.

Vincent n'aime pas ces repas où l'atmosphère est lourde de sous-entendus. Il essaie de lancer la conversation en parlant du père de Valérie qui a passé onze heures dans la salle d'opération. Le jeune homme comprend vite que c'est maladroit et raconte que son professeur de physique a garé sa voiture dans une rue du sixième qu'il n'arrive pas à retrouver. Urbain ne réagit pas, alors Vincent se tait à son tour. Par moments, lui aussi regarde son père avec une pointe d'angoisse. Tout à coup, Urbain explose.

– Mais quoi ? crie-t-il à l'intention de Vincent.

Le jeune homme ne bronche pas. Un peu de rouge colore ses joues rondes. Il achève rapidement de manger et fuit dans sa chambre.

– On va au-devant de charmantes soirées ! constate Martine.

– C'est vous qui ne cessez de me regarder comme si j'étais un monstre !

Martine range la vaisselle. Quand c'est fini, elle passe dans le bureau et continue ses corrections. Urbain reste au salon où il fait semblant de lire. Au bout d'un moment, Martine range ses affaires et va se coucher. Urbain la rejoint, se déshabille, se glisse entre les draps et éteint la lumière sans dire bonsoir à sa femme.

Le lendemain, après une nuit agitée, il se lève, se douche, se rase et prépare les petits déjeuners, le rituel ordinaire du matin. Quand Vincent et Martine sont partis, le silence de l'appartement, à cette heure inhabituelle, le surprend. Le bruit sourd des voitures en bas, les grincements métalliques de l'ascenseur, tout lui est étranger. Le voilà en cage, prisonnier de sa liberté. Il tourne en rond un bon moment, cherche à s'occuper, ouvre un livre, s'invente un appel urgent à Macha pour un quelconque formulaire oublié, puis décide de passer à l'action, de descendre acheter *Le Figaro* et *Le Parisien*.

Le pointage des petites annonces l'occupe jusqu'à midi. Martine arrive, il s'étonne :

– Tiens, tu rentres à midi, toi ?

– Tu sais bien que je rentre tous les midis !

Ils déjeunent très vite de deux œufs au plat, sans un mot, Martine est déjà dans sa classe, Urbain réfléchit aux petites annonces qu'il a notées.

L'après-midi, il téléphone aux numéros indiqués. La réponse est toujours la même : il doit écrire avec son curriculum vitae et une lettre manuscrite de motivation. On prendra contact avec lui si sa candidature est retenue. Urbain trouve dégradant pour l'ancien patron des services financiers de la SIMA de devoir, comme un débutant, comme un quelconque manutentionnaire, s'abaisser à proposer ainsi ses services. Ses lettres aboutissent dans des agences spécialisées, des « chasseurs de têtes ». À son niveau, les entreprises ne prennent pas le risque de recruter elles-mêmes et préfèrent confier ce travail délicat à des spécialistes.

Pendant deux semaines, l'espoir lui tient la tête hors de l'eau. Chaque matin, il se prépare comme s'il allait au bureau, achète les journaux et se lance dans son travail de prospection. « Tu comprends, a-t-il dit à Martine, je ne peux pas accepter n'importe quoi, mais si j'avais quelque chose pour faire fléchir Jean, ça m'arrangerait bien. »

Il court aussi les brocantes, les salles des ventes, ce qui l'occupe et lui fait oublier sa situation de délaissé. Il en rapporte parfois des bibelots, toutes sortes d'objets qui vont s'entasser avec les autres dans la cave.

– Mais qu'est-ce que tu veux faire de ces vieilleries ? demande Martine.

Il explose :

– De toute façon, toi, tu me sous-estimes. Tu me diminues, même auprès des garçons.

– Ils se font du souci pour toi !

– Tu veux dire qu'ils ont pitié !

C'est justement ce qu'il ne veut pas ; son orgueil saigne. Il se rend aux convocations des chasseurs de têtes, se plie à leurs interrogatoires, parfois indiscrets, toujours humiliants. Il comprend vite que ses chances sont minimes. Les employeurs redoutent, sans le lui dire ouvertement, qu'à son âge il ne soit pas capable de s'adapter aux conditions particulières de leur société. Son erreur a été de rester dans la même entreprise, d'y grimper un à un les échelons. Plusieurs expériences professionnelles seraient pour lui de bons atouts.

Les jours passent. Au début du mois de mars, Urbain ne se fait plus d'illusions. L'espoir cède lentement la place au découragement. Il a vu plusieurs agences de placement et chaque fois c'est la même chose ; il est trop vieux, trop cher, et son expérience trop limitée. Excédé, il change de tactique, recherche les petites annonces plus modestes, des chefs de service, des postes de comptable, mais là non plus ça ne marche pas : il a eu une situation bien trop élevée pour se sentir à l'aise dans une place d'exécutant.

À la maison, tout le monde redoute les orages que les moindres remarques de Martine suffisent à déclencher. Le samedi reste le jour noir de la semaine. Julien arrive vers six heures et son carnet de notes est épluché avec attention.

– Si tu crois que tu t'en tireras en ne faisant rien !

Julien marmonne :

– Ça t'a bien servi, à toi, de travailler !

– Ça m'a servi à te donner pas mal d'aisance ! Toi, tu ne pourras même pas être un ouvrier, tu ne sais rien faire.

Julien encaisse. Sa mère l'embrasse.

– Papa n'en pense pas un mot. Faut pas lui en vouloir, il est tellement anxieux !

L'adolescent s'enferme dans sa chambre ou s'invente un match de tennis pour ne pas rester trop longtemps dans l'appartement. Il n'a qu'une hâte, retourner au cours Laurent où personne ne lui fait de reproches.

Urbain est découragé. S'il continue d'acheter les journaux, c'est pour s'occuper, pour se donner l'impression qu'il peut encore vivre comme les autres, pourtant, chaque jour un peu plus, il se sait à l'écart.

Martine insiste pour qu'ils aillent dîner chez les Roger, leurs amis depuis leurs débuts à Paris et qu'ils voient régulièrement. Lui est dentiste dans le XVIe, elle, expert-comptable. Urbain refuse, trouve toujours un argument pour reporter cette visite. Martine touche sa plaie du doigt.

– Tu crois que ça ne finira pas par se savoir ? Le chômage, c'est pas la lèpre !

– C'est pire !

– Avec les Roger, tu n'as pas à avoir honte. Ce sont de véritables amis qui pourront peut-être t'aider. Gisèle connaît beaucoup de monde.

Urbain éclate.

– Arrête de m'emmerder avec ça ! Je ne veux pas aller dîner ches les Roger, ce sont des affairistes et je ne veux pas que Gisèle m'aide.

Elle ne comprend pas, Martine, que demander un tel service, surtout à des amis, c'est la pire des humiliations pour Urbain. Elle s'obstine.

– Si tu ne veux rien demander à Gisèle, je le ferai à ta place. Tu ne peux pas rester comme ça.

Urbain se dresse, le regard mauvais, menaçant.

– Si tu vas voir Gisèle...

Elle fait front, certaine d'avoir raison.

– Eh bien ?

Un silence, puis Urbain dit d'une voix calme, ce qui montre bien sa détermination :

– Eh bien, je quitterai cette maison et tu ne sauras pas où j'irai...

Martine bat en retraite. Elle se replie dans son bureau, fait semblant de travailler en feuilletant un livre de français. Au fil des jours, la silhouette de son mari a changé, comme s'il devenait un autre. Ses épaules se sont tassées, son visage s'est ridé. Il est continuellement tendu, prêt à exploser, et combien de fois elle évite l'affrontement direct en se taisant, en ignorant une réponse qu'il attend comme un détonateur.

Un matin, le réveil sonne et il l'arrête sans se dresser sur le lit.

– J'ai mal dormi ! dit-il à Martine. Je reste encore un peu...

Martine va préparer son petit déjeuner. Urbain attend qu'elle soit partie pour se lever. Dans la salle de bains, il se plante devant la glace. La barbe de la nuit pique son menton de poils blancs. Il sort son rasoir puis le repose.

– À quoi bon ? fait-il, et il s'habille sans se raser ni se laver.

À midi, Martine arrive en retard parce qu'elle a été retenue par une mère d'élève. Elle ouvre le réfrigérateur, il n'y a plus de yaourts, plus de fruits dans la corbeille, rien.

– Eh bien, oui, fait-elle, je n'ai pas eu le temps d'aller aux courses, hier.

Urbain, qui comprend le reproche caché, réplique vivement :

– Mais pourquoi tu t'obstines à rentrer à midi ? Tu ne peux pas rester à ton collège et aller manger dans une brasserie ?

– Je rentre, parce que j'ai envie de rentrer ! dit Martine excédée. Et toi, qu'est-ce que tu as fait ce matin ? Tu ne t'es même pas rasé ! Si tu crois que c'est comme ça que tu t'en tireras !

– Moi aussi, je fais ce que je veux, entends-tu ? J'en ai marre que tu me regardes de travers comme si j'étais devenu une bête hideuse !

– Si tu étais un peu moins orgueilleux, si tu acceptais qu'on t'aide, tu n'en serais pas là ! Mais tu restes toujours aussi têtu et tout le monde doit te supporter.

– Me supporter ? Parce que je vous gêne ? Faut le dire !

– Tu ne comprends pas que Vincent et Julien sont malheureux pour toi. Mais tu ne vois rien...

– Martine, arrête !

Il a crié et s'est approché de sa femme, menaçant. Martine fait face. Urbain, d'un geste brusque, prend la cuiller qu'elle tient à la main et frappe la table si fort que la cuiller se casse.

Martine ne bronche pas. Une telle violence la surprend et lui montre un côté de son mari jusque-là dissimulé. Elle prend son sac, son manteau et s'en va.

Le soir, quand elle rentre, Urbain, qui s'est rasé, épluche les petites annonces du *Figaro*. Elle ne lui dit rien, fait rapidement son travail et prépare le repas. Vincent arrive des cours, exténué. Il embrasse sa mère et comprend que ses parents se sont encore disputés, mais il ne pose pas de questions. À table, Urbain ne desserre pas les dents tandis que Vincent, pour détendre l'atmosphère, dit que son professeur de physique a enfin retrouvé sa voiture après un mois de recherches.

Tout le monde est au lit de bonne heure. Quand la lumière est éteinte, Martine tend la main vers Urbain et lui caresse le bras.

– Faut pas m'en vouloir, je suis tellement anxieuse !
– Laisse-moi ! dit sèchement Urbain, sans bouger.
Alors, Martine se tourne. Le silence de la chambre est troublé par ses sanglots étouffés.

6

Vincent fuit l'appartement : son père y rend l'air irrespirable. Il va travailler chez Valérie ou Lionel. Il a conscience d'être lâche et de ne pas beaucoup aider sa mère qui doit faire face seule aux orages quotidiens, mais c'est plus fort que lui.

Ce soir, il marche dans la rue de Varenne. Le soleil est sorti et Paris a un air de fête. Une lumière vive allume les murs. Le vent doux met en tête des pensées frivoles. Le jeune homme entre dans une brasserie, s'installe à une table près de la porte. Il commande un café, sort ses cours, mais ses pensées sont ailleurs. Un coup d'œil à sa montre : six heures cinq, Sylvaine ne vas pas tarder. Elle va entrer par cette porte et le cherchera des yeux. Alors, il sera heureux au point de bredouiller. Il entend encore Valérie : « Une caissière à Casino ! » Eh oui, une caissière qui ne fait pas des études de droit... Valérie a surtout tendance à se mêler de ce qui ne la regarde pas.

Il y a beaucoup de monde à cette heure. Vincent remarque une jeune femme brune qui ressemble un peu à Sylvaine. Elle a sa démarche, une robe longue et légère à fleurs marron. Son visage est long, ses lèvres fines. Elle achète un paquet de cigarettes et s'en va.

En face de lui, un jeune garçon et une fille aux beaux cheveux blonds se regardent sans un mot...

C'est lui, Vincent, qui a appelé Sylvaine, hier au soir. Il est entré dans une cabine, le cœur battant, a composé son numéro.

– Allô !

– Salut, Sylvaine. C'est moi, Vincent.

– Vincent ? Comment vas-tu ?

– Très bien. J'ai envie de te voir.

– Pourquoi pas ?

Sept heures déjà et pourtant le temps ne passe pas dans cette brasserie. La nuit tombe. Les lampadaires s'allument. Des hommes entrent boire l'apéritif. Les jeunes amoureux, en face de Vincent, sont partis. Les deux chaises, près de la table, sont toujours dans la position où ils les ont laissées. Sylvaine ne viendra pas, c'était trop beau pour être vrai. Vincent est peut-être doué à l'école, mais tellement maladroit avec les filles ! Il range ses cours dans son sac, paie son café et sort. Le ciel est clair, très haut sur les toits. Un peu de vent court le long de la rue.

Vincent marche vite, la tête baissée. Quelqu'un le tire par la manche. Il se tourne vivement, c'est Sylvaine. La jeune fille porte un pantalon et une veste beiges, ses cheveux très noirs sont attachés en un petit chignon haut.

– Pardonne-moi, Vincent. J'ai été retardée au travail. Tu partais ?

– Non, j'allais te téléphoner. On retourne à la brasserie ?

– Non, il y a beaucoup de monde et de la fumée qui me pique les yeux. Si on marchait un peu ?

Ils partent en direction des quais. Boulevard Saint-Germain, les vitrines sont illuminées. Sylvaine regarde celle d'un magasin de vêtements. Ils se taisent; Vincent se sait maladroit.

– Tu voulais me voir ? demande-t-elle.

– Ouais... Pour passer un moment avec toi.

– C'est sympa...

– On pourrait peut-être se voir plus souvent, si tu voulais...

Elle fait la moue. Sa tête est ronde, ses grands yeux noirs se plissent, sa bouche étroite s'arrondit.

– Se voir plus souvent ?

Elle marche lentement en regardant le trottoir. Par instants, son épaule touche le bras de Vincent.

– Les filles ne manquent pas autour de toi, dans ton lycée, dans ta rue...

– Oui, mais je garde de bons souvenirs de nos premières rencontres.

– Moi aussi. Tu m'excuseras, Vincent, mais je n'ai pas beaucoup de temps, ce soir. Il faut que je rentre, je dois voir quelqu'un.

Vincent, dépité, ne peut cacher sa jalousie :

– Ton copain ?

Il comprend sa maladresse et regrette d'avoir parlé. Sylvaine s'arrête et plante ses yeux noirs dans les siens.

– Ça se pourrait ! Tu crois que j'ai attendu que tu croises mon chemin pour vivre, pour grandir, pour...

Elle s'anime un peu.

– Je vais être franche avec toi. De nos rencontres précédentes, j'ai gardé le souvenir d'un petit-bourgeois qui n'est jamais sorti de l'ombre protectrice de ses parents. À l'école, d'accord, tu es bon ; mais c'est pas la vie, l'école. La vie, c'est sur ce trottoir, c'est au boulot, c'est se frotter aux autres qui sont pas toujours pleins de bonnes intentions. Moi, j'ai dix ans de plus que toi !

Vincent marque sa surprise. Dix ans ? La place Saint-Michel est envahie par une foule bigarrée d'étudiants. Il voudrait être ailleurs. Chaque mot de la jeune fille le blesse dans son amour-propre.

– C'est pas de l'âge que je veux parler, c'est de l'expérience ! poursuit-elle. Tu comprends ? Allez, faut que j'y aille. On reprendra cette conversation une autre fois. Tu peux m'appeler.

Sylvaine tourne les talons. Vincent la regarde s'éloigner. Elle lui a dit de l'appeler, c'est la preuve qu'elle veut le revoir, tout espoir n'est pas perdu. Il rentre chez lui, les mains dans les poches, la tête plus lourde qu'une enclume.

Chaque soir, Julien retrouve Matthieu dans le parc, près du bâtiment administratif, et ils fument de l'« herbe ». Un bien-être inconnu jusque-là gagne l'adolescent et ses peurs disparaissent. Il oublie les scènes de son père, les heures d'ennui pendant les cours.

Un soir, Matthieu lui dit :

– On va aller chez moi.

Julien s'étonne. Les sorties ne sont pas interdites, mais, en principe, les élèves doivent les signaler à la conciergerie et, après huit heures du soir, ils sont censés travailler dans leur chambre.

– On va rentrer comme d'habitude ! précise Matthieu. Je viendrai gratter à ta porte et tu sortiras sans faire de bruit.

– Et si on se fait piquer ?

– On se fera pas piquer, je l'ai fait cent fois !

À huit heures précises, le surveillant appelle les groupes d'élèves qui bavardent dans le parc. Ils montent l'escalier de pierre et regagnent leurs chambres. Quelques minutes plus tard, Julien entend un léger grattement à sa porte. Il sort. Matthieu l'entraîne vers l'escalier de secours.

Ils sortent, traversent le parc en évitant de faire crisser leurs semelles sur le gravillon. À la porte du bâtiment administratif, Matthieu sort un trousseau de clefs.

– T'es fou ? Si on nous prend ?

– J'ai l'habitude, je te dis.

Ils empruntent le couloir sombre, arrivent à la porte qui donne sur la rue, Matthieu compose le code, cherche une autre clef dans son trousseau et les voilà dehors.

– Où t'as piqué ces clefs ? Et qui t'a donné le code ? Tu sais bien qu'on n'a pas le droit de passer par là !

– T'occupe pas ! Viens. On va chez moi, je te dis.

Julien hésite. Cette escapade ne peut que très mal finir ; pourtant, il suit son camarade qui marche à longues enjambées en sifflotant.

– C'est pas loin ! On va rue du Regard.

Ils y arrivent en quelques minutes. C'est un immeuble neuf aux portes vitrées. Matthieu compose le code d'accès, la porte se déverrouille.

– On va prendre l'ascenseur.

Au palier, Matthieu appuie sur le bouton de la lumière.

– Tiens, j'ai de la visite.

Ils entrent dans un petit studio sagement meublé. Un grand canapé noir occupe tout un côté de la pièce. Trois jeunes gens sont là, deux garçons dont un Noir, et une fille brune aux cheveux très longs.

–Salut! dit Matthieu. Je vous présente un copain d'école, Julien.

Puis, se tournant vers Julien:

–Je te présente mes potes, Manu, c'est un Ivoirien, vraiment pas chatouilleux; Arnaud qui sévit à La Courneuve, et Barbara.

Matthieu rit; ses gros yeux se plissent à travers ses épaisses lunettes. Manu a sorti de sa poche un paquet plié dans du papier journal. Il l'ouvre délicatement, y prend un petit sachet de plastique rempli d'une poudre blanche, légère comme de la farine.

Julien comprend tout de suite ce que c'est. Il en est horrifié; les autres ne font pas attention. Le jeune Noir lève les yeux sur lui.

– Tu en as là pour mille balles; alors, tu comprends qu'il faut pas la gaspiller.

Barbara porte une longue robe légère qui serre sa taille très fine. Julien, qui la trouve très belle, l'observe à la dérobée, car il n'ose pas soutenir son regard. Il pousse sa mèche blonde, sent sa boucle d'oreille. Tout ça, c'est pour frimer, pour jouer aux durs, mais là, dans ce studio où règne une poignante odeur de tabac froid, il est pris de légers tremblements. Il voudrait fuir, mais comment le faire sans Matthieu, qui a les clefs?

–Tu n'y as jamais touché? demande Barbara à Julien en montrant la drogue.

Il fait non de la tête.

–Et ça, tu n'y as jamais touché, non plus?

Elle se dresse, ses seins pointent à travers le pull. Julien rougit. Il mesure combien il est encore un enfant face à ces jeunes gens sans innocence, un agneau enfermé avec des loups.

–Tous ces cons l'emmerdaient! dit Matthieu. Alors, je l'ai pris avec moi. Si je ne pouvais pas venir ici de temps en temps, il y a belle lurette que je me serais fait la malle.

– Eh bien, moi, je le trouve mignon, ton copain, Matthieu. Tu me l'amèneras souvent ! fait Barbara en clignant de l'œil à l'intention de Julien.

Arnaud envoie un regard froid à la jeune fille. Il est très brun, ses cheveux sont coupés en brosse. Il n'a rien d'un loubard de La Courneuve ; pourtant Julien évite de croiser ses yeux. Manu a délayé sa poudre dans une cuillerée d'eau qui bouillait sur le réchaud. Il pompe le liquide blanc avec sa seringue et retrousse sa manche. L'aiguille se plante à la saignée du bras. Les autres ne prêtent aucune attention à ce que fait l'Ivoirien.

– Maintenant, laissez-moi tranquille ! dit-il en s'allongeant sur le divan. Son visage exprime un ravissement intérieur intense.

Arnaud dit à Matthieu qu'il faut se méfier d'un certain Yvon qui habite Montparnasse.

– Je vais lui organiser un rendez-vous avec qui tu sais. En tout cas, un conseil, ne lui dis pas trop de choses.

– Je m'en doutais un peu ! fait Matthieu. Avec ses yeux fuyants, il serait capable de nous balancer. Faut lui donner une leçon.

– Et puis, continue Arnaud, la police a fait une descente chez le Lillois. Ils ont tout retourné, éventré le matelas, les fauteuils... Heureusement, ils n'ont rien trouvé qu'un peu d'herbe.

– À propos d'herbe, dit Barbara à Julien, tu veux fumer ?

Julien prend la cigarette que lui tend la jeune fille. Elle le regarde avec une telle insistance qu'il rougit et baisse la tête.

Enfin Matthieu regarde sa montre.

– Bon, les amis, c'est bien beau, tout ça, mais faut rentrer !

Il prend son manteau, fait signe à Julien.

– On vous laisse, n'oubliez pas de fermer la porte et de ranger votre bordel.

– Salut ! dit Barbara. Surtout ramène-moi Julien.

Ils sortent. Julien trébuche : il a trop fumé. Sa tête est lourde, ses membres mous.

– Dis donc, toi, tu lui as tapé dans l'œil, à Barbara ! dit Matthieu.

7

Julien a passé les deux semaines des vacances de Pâques dans une famille à Londres. Urbain et Martine ne se sont pas rendus en Corrèze, comme chaque année. Urbain a téléphoné à sa mère pour s'excuser et a dit qu'il avait beaucoup trop de travail et que Martine, très fatiguée, devait se reposer. La grosse Éloïse n'a pas été contente : « C'est Auguste qui va se fâcher ! » dit-elle à son fils avec son accent rocailleux du Quercy. Elle espère quand même voir tout le monde avant l'été. Urbain promet, ajoute même qu'il viendra probablement passer quelques jours seul quand il pourra se libérer.

Mais Urbain sait qu'il n'ira pas à Turenne. Un ressort s'est brisé en lui au fil des jours. Il a compris que courir les petites annonces et les agences de placement ne servait à rien. Il baisse les bras. La moindre sortie en ville lui coûte un effort considérable. Il se cache chez lui, évite de croiser ses voisins dans l'escalier, fuit ses amis. La présence de Martine et des garçons l'irrite. Il est dans un perpétuel état de colère.

– Ce que tu ne comprends pas, hurle-t-il à Martine, c'est que je ne veux pas de pitié. Je préfère être mort plutôt que pitoyable !

Il ne se douche plus qu'une fois par semaine lorsqu'il est contraint de sortir. Sa chemise comme ses sous-vêtements durent aussi plusieurs jours. C'est pour économiser de la lessive à Martine, mais surtout parce que ça ne sert à rien d'être propre. À quoi bon, il ne voit personne !

Une lassitude de vieillard engourdit ses membres et son esprit. Ses matinées se passent à tourner en rond dans l'appartement, d'un fauteuil à l'autre, d'une intention à l'autre. Il allume la radio, écoute quelques instants puis s'agace, va vers la télévision qu'il arrête aussitôt. Les mêmes histoires, les mêmes folies reviennent toujours à son esprit. C'est trop tard pour entreprendre, pour tenter, trop tard pour devenir ce qu'il aurait voulu être. Et Martine fait face comme elle peut au flot quotidien de reproches.

– Sans toi qui m'as toujours retenu, qui m'as toujours conseillé de choisir la sécurité, j'aurais monté ma propre affaire d'antiquités. Et je n'en serais pas là !

Souvent, elle se tait ; parfois, elle se cabre.

– Je t'ai donné ma façon de penser, mais je ne t'ai jamais empêché de faire ce que tu voulais. C'est ton ambition, ton envie de paraître qui t'a fait préférer une place où tu avais du pouvoir sur les autres à un métier de commerçant, finalement bien terne.

– Et quand j'ai voulu aller avec Jean Bloth, tu ne m'as pas dit qu'il fallait rester où j'étais ?

– Là, tu partais à l'aventure pour une situation qui n'était pas aussi bonne que celle que tu avais. C'est vrai, on t'avait fait pas mal de promesses, mais il ne faut pas lâcher la proie pour l'ombre...

Autrefois, leurs disputes se terminaient toujours par une réconciliation, le soir au lit, mais Urbain a oublié ce temps. Il se serre dans son coin pour éviter le moindre contact avec elle, s'enroule dans les draps et ne bouge plus jusqu'au matin, comme un mort. Cela fait plus de deux mois qu'il n'a pas tendu la main vers elle. La promenade du dimanche après-midi a été supprimée : Urbain n'a pas envie de voir « toutes ces gueules de cons » sur les trottoirs. L'autre jour, il a refusé d'aller chez les parents de Martine qui habitent un petit pavillon près d'Étampes. Elle a dû faire le voyage en R.E.R. avec les garçons qui rouspétaient. Elle s'est confiée à Armelle, qui lui a dit :

– Tu devrais t'en aller ! Le laisser quelques jours tout seul !

– Mais c'est impossible, ça ! a fait Martine avec horreur.

Laisser Urbain, laisser Vincent et Julien pour partir seule ? Oui, dans ses rêves, mais pour de bon, c'est impensable. Quitter Urbain, ce serait quitter la vie. Alors, elle supporte, mais ne se résigne pas. Elle est allée voir leur amie, Gisèle Roger, l'expert-comptable. Celle-ci pourrait bien employer Urbain à la comptabilité, mais elle sait qu'il refusera. Gisèle promet de se renseigner, mais les jours passent et elle ne trouve rien.

Le printemps est là, mais Urbain ne le voit pas. Les pruniers fleurissent dans les jardins intérieurs de Paris. Les pelouses verdissent et ça sent l'herbe fraîchement tondue dans les allées des Invalides. L'allongement des jours laisse le fils de paysan indifférent. Il ne voit rien, ne vit plus. Il ne va pas chiner aux puces ou dans les salles des ventes, ses journées de vieillard se passent sur le canapé à ne rien faire.

Martine l'évite, fuit la pièce où il se trouve. Un samedi, tandis qu'elle fait le ménage dans le salon, son regard s'attarde sur cette silhouette avachie.

Urbain ne s'est pas rasé depuis plusieurs jours. Le col de sa chemise a des ombres. Martine fronce les narines.

– Mais tu pues ! dit-elle d'une voix pleine de reproches.

Urbain sursaute, se dresse vivement.

– Qu'est-ce que tu dis ?

Martine fait face. Des sursauts d'énergie la poussent parfois à acculer Urbain jusque dans ses ultimes retranchements et cette odeur de sueur et de peau sale la révolte. C'est une partie d'elle-même qui se laisse aller et qu'elle a tout à coup envie de secouer.

– Je dis que tu pues et que tu deviens une loque !

– Ah bon, je pue !

Il a crié, mais il crie tout le temps comme pour se protéger des autres, pour les tenir à distance et ne pas avoir à se remettre en question. Martine explose.

– Tu crois que c'est comme ça que tu vas t'en sortir ?

– Me sortir de quoi ?

– De la merde dans laquelle tu te trouves et que tu fais supporter à tout le monde. J'en ai marre d'avoir en face de moi un homme qui ne cesse de tenir les autres pour responsables de sa déchéance !

– Une loque ! Et sans la loque, crois-tu que tes enfants et toi-même auriez eu autant de facilités ? Je me suis tué au boulot pendant des années pour entendre ça, de toi, Martine !

– Justement de moi ! Parce que les autres n'en ont rien à foutre de toi, mais moi, je veux conserver l'homme que j'ai connu et que j'aime, pas celui que tu es en train de devenir !

Cette fois, il bat en retraite. Cette parole d'amour dite sur le ton de la colère trouve en lui un restant de bon sens. Il marmonne, se lève, prend sa veste et sort. Peut-être attendait-il que Martine le retienne, mais elle ne bouge pas. La porte claque.

Urbain sort marcher dans la rue. Par moments, le soleil brille entre des nuages sombres. Les platanes du trottoir ont déjà des petites feuilles. Les premières hirondelles volent au-dessus du jardin des Invalides.

Devant l'escalier du métro, il fouille dans ses poches, trouve un peu de monnaie pour acheter un ticket. Il se rend à la gare Saint-Lazare. Une averse vient de tomber et les trottoirs luisent. Urbain arrive rue de Rome. Ses pas l'ont conduit ici comme si quelqu'un d'autre le guidait, un deuxième Urbain Viallet qui n'a pas baissé les bras, qui croit que tout est encore possible, que le mauvais rêve va s'achever. Il passe une main sur ses joues piquantes. Pourquoi ne s'est-il pas rasé ? Tant pis, il entre.

Il connaît l'immeuble. Le grand hall avec les boîtes aux lettres alignées sur la droite. Au fond, il est arrêté par une deuxième porte avec un code d'accès. C'est nouveau. Autrefois, quand il venait dîner ici avec Martine, l'entrée était libre, mais depuis l'insécurité s'est généralisée, même dans les beaux quartiers. Sur l'Interphone, il suit les noms des yeux jusqu'à une carte de visite glissée sous le plastique : « Jean et Josette Bloth ». Il appuie sur le bouton blanc.

– Oui ! dit une voix onctueuse qu'Urbain connaît bien.

– Jean ? C'est moi, Viallet.

– Urbain ! Qu'est-ce que tu fous ici ? Je t'ouvre. Tu connais le chemin.

La porte se déverrouille avec un bruit sec. Maintenant, Urbain hésite. Que fait-il ici ? Pourquoi ce coup de tête ? À cause de la réflexion de Martine ?

Il monte les marches ; à l'étage, Jean l'attend sur le palier. C'est un homme mince et élégant qui porte bien ses quarante-sept ans. Le crâne un peu dégarni, ses cheveux sont restés bien noirs. Une moustache finement taillée lui donne un petit air de fantaisie. Il sourit et tend la main à Urbain ; son regard s'attarde sur ses vêtements sales et le visage sombre d'une barbe de plusieurs jours.

– Urbain, mais qu'est-ce qu'il t'arrive ? Entre.

Ils étaient assez amis autrefois, quand ils occupaient des postes parallèles à la SIMA. Ils déjeunaient souvent ensemble, se recevaient avec leurs épouses. Quand Jean est parti à la concurrence pour occuper la place de directeur administratif, Urbain pensait qu'il faisait une bêtise, le morceau semblait un peu gros pour cet autodidacte, mais il se trompait.

– Qu'est-ce qu'il t'arrive ? répète Jean, étonné.

Il a un léger mouvement des narines qui n'échappe pas à Urbain. « Il a senti que je pue ! se dit-il. Tant mieux, il a devant lui un cadavre en voie de décomposition, ce qui peut lui faire pitié. »

– Assieds-toi !

– Voilà, dit Urbain, depuis deux mois et demi, je tourne en rond. Je suis au fond de la nasse. Jean...

Un silence, puis Jean se dirige vers le bar.

– Tu prendras bien quelque chose ? Un whisky ?

Urbain acquiesce de la tête. Sa dernière visite remonte à trois ou quatre ans. L'appartement n'a pas changé, avec cet horrible bonze en émail sur la fausse cheminée. Comment un homme qui a acquis autant d'importance peut-il avoir si mauvais goût ?

– Je suis au fond de la nasse ! répète Urbain.

– Écoute, je t'ai dit l'exacte vérité. Te laisser le moindre espoir serait mentir. Je ne peux pas enlever quelqu'un pour te mettre à sa place !

Urbain reçoit le coup de grâce sans broncher. Après avoir enfoncé la lame, Jean la retourne dans la plaie.

– Ce n'est pas facile, tu sais ! Tu aurais dû me suivre quand c'était le moment !

Urbain vide son whisky et se lève. Il est abattu, vaincu, sans but. Il s'est humilié pour rien.

– Tu veux qu'on aille déjeuner quelque part tous les deux ? Ça te changera les idées, demande Jean.

– Non.

– Bon, alors viens dîner un soir avec ton épouse. Vendredi prochain, par exemple, je n'ai rien...

– Oui, oui, on verra...

Urbain sait qu'il ne viendra pas. Il regrette cette démarche stupide. Jean l'accompagne jusqu'à l'escalier, lui serre chaleureusement la main.

– Vendredi, c'est d'accord ? Je vais prendre des contacts. T'en fais pas, ça va s'arranger !

– Merci, Jean.

Dehors, il hésite sur sa direction. Une nouvelle averse arrive. Il entre dans un bistrot et commande un whisky. Des gens assis aux tables lisent leur journal et bavardent. La vie est là, autour de lui, mais il en est exclu. Une vitre le sépare du monde. Il porte le verre à ses lèvres, le vide d'un trait et en demande un autre tandis que la pluie martèle de nouveau le trottoir.

De retour aux Invalides, il entre dans une cabine téléphonique et appelle Macha, qui s'étonne de l'entendre.

– Vous m'avez laissé si longtemps sans nouvelles ! C'est pas bien, ça !

Urbain va droit au but.

– Je voulais savoir si, au bureau...

– Au bureau, ça va. Tout le monde vous regrette...

– Justement, je me disais que, peut-être...

Un silence à l'autre bout du fil. Macha a compris. Elle travaille désormais avec Simonet et sait beaucoup de choses... Urbain avait nourri un vague espoir. La chose s'est déjà produite avec Millon, le chef des services techniques. Il avait été licencié en 1988 et repris en 1992. Macha précise :

– Pour l'instant, il ne faut personne puisqu'on parle de supprimer le poste de M. Gillet qui va bientôt partir en retraite. Mais dans l'avenir, on ne sait jamais...

Urbain rentre chez lui comme un automate. Mourir serait la solution. Il y a pensé, mais ce n'est pas simple. Se jeter sous le métro est un acte public, une revendication. La mort est honteuse, il ne lui reste que la fuite pour se cacher.

8

En arrivant à l'appartement, Vincent comprend tout de suite que quelque chose de grave s'est passé. Sa mère est assise sur le canapé, un mouchoir à la main. Des larmes roulent de ses yeux rougis. Le jeune homme ne supporte pas de la voir malheureuse, il s'assoit à côté d'elle, passe son bras sur ses épaules.

– Qu'est-ce que tu as ?

À cet instant, il s'aperçoit de l'absence inhabituelle de son père.

– Papa..., fait Martine en s'essuyant les yeux.

Elle sanglote. Vincent lui caresse la joue et lui dit doucement de se calmer, que tout va finir par s'arranger.

– Regarde ! fait-elle en lui tendant une feuille de papier posée sur la table basse.

C'est l'écriture d'Urbain. Vincent hésite un instant puis lit ces quelques mots terribles : « Je ne me supporte plus, je me hais. Alors, je pars, avant que vous me haïssiez aussi. J'espère que vous me pardonnerez. »

Vincent se tourne vers sa mère, qui sèche ses yeux avec son mouchoir roulé en boule. À son doigt brille sa bague de fiançailles, le solitaire reflète la lumière en lames tranchantes.

– Tout ça c'est de ma faute ! dit-elle. Je ne l'ai pas aidé.

Vincent se fait rassurant.

– Ce n'est qu'un coup de tête. Il va vite revenir.

Martine fait oui de la tête, se mouche.

– Tu veux que j'appelle à Turenne ?

– Non, fait Martine, ce n'est pas la peine d'ameuter le monde entier.

Vincent regarde la rue par la fenêtre. Martine le suit des yeux. Elle le sait secret, distant, mais plein d'attention pour elle. Ce soir, c'est lui le plus fort, celui sur qui elle peut se reposer.

– Je pense à toi et à ton frère, surtout à ton frère qui n'a pas tes capacités. Qu'allez-vous devenir dans ce monde qui se casse de partout, où les hommes sont vieux à quarante-cinq ans comme ton père ?

– Qu'est-ce que tu racontes là ? J'ai faim.

Cette considération matérielle ramène Martine à la réalité. Vincent va dans la cuisine, se met à peler des pommes de terre sur l'évier. Sa mère le rejoint, un peu rassurée de voir ce grand garçon faire les gestes simples de la vie quotidienne à un moment où elle les a oubliés.

– Et Julien ?

Le couteau s'arrête, l'épluchure pend entre les doigts. Le jeune homme se rappelle un doute qu'il a eu la semaine dernière. Il n'en a pas parlé pour ne pas affoler sa mère, mais ce soir, en regardant la lame mordre maladroitement la chair du légume, il y pense de nouveau : son frère fume du haschisch. Il a reconnu l'odeur.

– T'en fais pas, papa sera vite revenu.

– Je l'espère.

Vincent coupe les pommes de terre. Le départ de son père ne le tracasse pas outre mesure. Un divorce, une rupture définitive entre ses parents lui semblent impossibles et, égoïstement, il profite du calme retrouvé. L'air n'est plus électrique, ce soir, les derniers sanglots de sa mère ont même quelque chose de chaleureux.

Martine s'essuie une nouvelle fois les yeux, nettoie les verres de ses lunettes en soufflant dessus et met le couvert : deux assiettes sur cette table faite pour quatre.

Ils dînent en silence. Martine n'est pas aussi optimiste que Vincent. Ce départ est grave, ça ne peut pas être autrement. Certes, Urbain et elle se retrouvaient ici chaque soir, mais pendant la journée ils vivaient dans des mondes si différents ! Si rien n'avait changé, ils seraient sûrement restés ainsi tout le temps. Le chômage a réveillé les vieux monstres qu'on croyait morts.

Après le dîner, Vincent invite sa mère à le rejoindre au salon. Il s'assoit près d'elle, lui prend la main et allume la télévision.

Finalement, la télévision ne les intéresse pas et ils décident d'aller se coucher. Martine reste seule un moment, écrasée par le silence de l'appartement. Dans la cuisine, le réfrigérateur ronronne, les vitres de la fenêtre vibrent quand les voitures démarrent au carrefour. Martine ne peut retenir les larmes qui roulent de nouveau sur ses joues. Quand elle se tourne, Vincent est là, debout.

– T'en fais pas, maman, ça va s'arranger, je te dis.

Depuis quelques jours, le temps est orageux. Des averses soudaines s'abattent sur Paris, laissant vite la place à un soleil chaud. Les gros bourgeons des marronniers ont éclaté et, dans les cours intérieures, le lilas fleurit, les tulipes perdent leurs pétales lourds aux couleurs épaisses.

Martine ne voit rien de tout ça. Un trou immense s'est creusé en elle. Devant les garçons, elle se retient, même si son visage fermé montre sa détresse. Prendre le métro, aller au collège, corriger ses copies, toute cette vie qu'elle aimait jusque-là l'irrite. Elle ne supporte plus les remarques de ses élèves et se retient souvent pour ne pas les gifler. Elle fuit ses collègues et passe de longues heures assise dans un jardin public en proie à la même obsession : Urbain l'a quittée depuis quatre jours. Urbain veut divorcer. Avant, Martine avait parfois imaginé cette séparation comme une possibilité de deuxième vie, un retour à la jeunesse, mais c'était un jeu pour conforter le présent, elle n'y croyait pas. L'idée qu'Urbain a profité de la situation pour rejoindre une autre femme ne l'effleure pas. Bien des choses les séparaient, certes, des barrières qu'ils avaient construites autour d'eux, parce qu'ils n'avaient pas toujours eu le courage d'aller au fond de leurs pensées, mais leurs deux êtres se rejoignaient pour se mélanger, pour n'être qu'un seul miroir tourné vers le même monde. Quand Urbain était là, sa seule présence suffisait et les démonstrations d'amour étaient superflues.

Elle ne dort plus, ou très peu. Chaque fois qu'elle sombre dans un sommeil épais, c'est pour faire des cauchemars insensés qui la réveillent, tremblante et en sueur. Le silence de sa chambre est devenu celui d'un tombeau. Et pourtant il faut faire semblant de vivre, avaler ses larmes et tenir jusqu'au soir, jusqu'à la solitude de cette pièce, pour se laisser aller, de nouveau, au désespoir.

Armelle, son amie, tente de la consoler. À elle, Martine peut parler, ouvrir son cœur douloureux, en laisser couler les remords.

– Je m'en veux ! Je lui ai dit qu'il puait ! J'aurais dû me taire et il ne serait pas parti. Il serait encore là, à se laisser aller, mais il serait là.

– Et tu ne l'aurais pas supporté, c'est toi qui serais partie. Il n'était plus le même ! Je t'en prie, cesse de pleurnicher. Ça ne sert à rien qu'à te détruire. Profites-en pour regarder autour de toi. Jacques me disait l'autre jour qu'il serait content de dîner un soir avec toi. Il s'ennuie, lui aussi.

Jacques Perrot, leur collègue. Martine l'aime bien. Divorcé depuis trois ans, il se remet mal du départ de sa femme. C'est un garçon doux et généreux.

Martine fait la moue, remonte ses lunettes.

– Jacques ? Tu cherches à me mettre entre les mains de quelqu'un ? Je suis assez grande pour me débrouiller.

La seule idée qu'elle pourrait avoir une liaison lui est insupportable. Urbain a pris toute la place et, depuis son départ, cette place n'a cessé de grandir.

– Il ne s'agit pas de ça ! fait Armelle, qui a compris, mais de passer un moment avec quelqu'un, de bavarder pour oublier un peu tes soucis.

– T'es gentille, mais j'ai besoin de personne.

– Tu n'as pas raison, Martine. La page est tournée. Avec Urbain, rien ne redeviendra comme avant. Quelque chose est désormais cassé entre vous, il faut l'accepter et regarder devant toi et pas derrière. C'est même nécessaire pour tes garçons à qui tu communiques ta tristesse et ton désespoir.

– On verra.

Elle s'éloigne sur le trottoir. Il pleut, le ciel est posé sur les toits. Martine se souvient d'un jour semblable. C'était au printemps 1972. Urbain était alors étudiant à l'école de commerce de Toulouse, elle à la Sorbonne. Il était venu la rejoindre pendant les vacances de Pâques. Ils avaient loué une chambre de bonne, rue Nollet. Comme elle était douce, cette pluie qui supprimait Paris, qui ne laissait que ce petit lit à une place où ils faisaient maladroitement l'amour, cette table, cet évier écaillé ! Cela ne peut pas s'oublier et elle ne retrouvera jamais avec personne d'autre ces émotions toutes neuves.

Déjà quatre longs jours sans la moindre nouvelle. Ce soir, comme chaque soir, en arrivant à l'appartement, elle court au téléphone, le cœur battant. Le voyant rouge du répondeur clignote, Martine se mord la lèvre. Si c'était lui ? Elle pose son manteau, le corps parcouru de frissons, revient vers l'appareil, s'arrête. L'espoir est si fort qu'elle redoute de le détruire trop vite. Enfin, son index appuie sur le bouton. La voix pointue de sa mère lui demande de la rappeler. Il n'y a pas d'autre message.

Elle appelle sa mère et ne peut retenir ses sanglots.

– Mais qu'est-ce qu'il se passe ? demande Marie, inquiète.

– Il se passe, fait Martine, qu'Urbain est parti et qu'il veut divorcer.

Un silence à l'autre bout du fil. Cette nouvelle fait l'effet d'une bombe dans le petit pavillon près d'Étampes.

– Qu'est-ce que tu dis ? C'est pas possible !

– Pourtant si ! Il a été licencié de la SIMA et, depuis, rien ne va.

– Eh bien, ma fille... Te voilà dans de beaux draps.

Martine raccroche et va s'asseoir à son bureau. Les minutes passent, les heures. Elle ne quitte pas le téléphone des yeux. Cet objet et son fil restent le seul lien avec le monde dans lequel Urbain a disparu. Chaque fois que la sonnerie retentit, Martine fait un bond. Une violente douleur mord sa poitrine ; si c'était lui ! Mais non, ce n'est jamais lui ; alors elle laisse sonner plusieurs fois pour garder l'espoir un peu plus de temps... Hier, avant de partir pour ses cours, Vincent a oublié de brancher le répondeur, elle lui a fait une scène, le soir. Vincent, d'ordinaire calme, s'est enfermé dans sa chambre en claquant la porte.

Cet après-midi, il pleut encore, une pluie désordonnée d'avril. Des coups de vent s'engouffrent dans la cour du collège, tourbillonnent, soulèvent les cheveux des filles qui sortent par groupes. Jacques Perrot rejoint Martine dans le couloir et ils sortent ensemble. Sa barbe grise épaissit son visage maigre, cache ses traits.

– Viens donc prendre un café en attendant que l'averse passe ! propose-t-il.

Ils rentrent dans le café le plus proche. Des élèves sont là et bavardent devant leurs Coca. Martine leur adresse un sourire. Ce n'est pas la première fois qu'elle vient là avec Jacques, ou d'autres professeurs, mais c'est la première fois depuis qu'Urbain est parti, et elle ne voit plus le monde comme avant.

– Ma voisine m'a prise pour une folle, ce matin ! dit-elle. C'est celle du rez-de-chaussée, la femme du cardiologue. Elle doit passer sa vie à regarder à la fenêtre et à écouter les bruits de l'escalier. Je descendais en courant, j'allais acheter du pain, je me pressais pour ne pas laisser le téléphone...

Ils se connaissent depuis des années. Cette vie commune a tissé entre eux un lien particulier : au fond, Jacques et les autres font partie de sa vie, celle qu'elle ne partage ni avec Urbain ni avec ses enfants.

– La vérité, continue-t-elle, c'est que je fais la forte, mais je passe mes nuits à pleurer. J'ai envie de partir le chercher, de l'appeler dans la rue.

Du bout des doigts, qu'il a longs et fins Jacques approche la tasse de ses lèvres.

– Ça fait comme ça au début. Moi, je croyais que je n'arriverais jamais à survivre, à refaire surface. J'ai même essayé de boire. T'en fais pas, on s'habitue.

Elle a un mouvement de la tête, s'essuie les yeux avec son mouchoir de papier.

– J'ai le sentiment que c'est moi la coupable. Et puis il y a les garçons. Je ne me sens plus capable de les assumer seule.

– Sois tranquille, tes enfants se débrouilleront fort bien sans leur père.

Ils sortent. Dehors, la pluie tombe toujours ; la grisaille du ciel pèse sur les toits. Martine voudrait fuir Paris, cette ville inhumaine où elle ne se sent plus chez elle. Pourtant, ce moment passé en compagnie de Jacques l'a réconfortée. Elle est restée quelques minutes entre ciel et terre, légère comme une bulle, hors de cette lourde peine qui plombe ses pas. Un coup d'œil à sa montre : elle sera rentrée avant Vincent qui, depuis le départ de son père, passe toutes les soirées avec elle. Martine aura le temps de faire disparaître les cernes sous ses yeux, de se composer un visage. Ils ne parlent pas de l'absent, même s'ils y pensent si fort qu'il reste entre eux, comme un pieu planté dans la chair à vif.

Le dimanche suivant, Martine va chez ses parents à Étampes. Vincent refuse de la suivre : il n'a pas le temps de rester des heures dans le R.E.R. et a du travail en retard. Julien va au cinéma avec des copains. Martine n'insiste pas, d'ailleurs, elle préfère être seule.

Jusque-là les visites chez les grands-parents étaient immuables. Une fois par mois, le dimanche, vers dix heures, Urbain allait chercher la voiture au garage et toute la famille partait pour Étampes. Antoine les attendait au portail de sa maison, tandis que Marie faisait la cuisine. Vers six heures, après une promenade dans les champs, il fallait rentrer à Paris et passer beaucoup de temps dans les embouteillages. Urbain se mettait en colère contre les mal dégourdis qui gênaient la circulation, Martine lui disait de se taire ; ils se disputaient invariablement à la hauteur d'Orly.

Chez ses parents, « chez elle », disait Urbain, c'est un petit pavillon de plain-pied. Mamie Marie entretient des parterres de fleurs, papy Antoine cultive des légumes. Ils vivotent là dans leur petit espace au rythme des visites de leur fille unique. Antoine est fier de la grosse voiture de son gendre qui se gare devant chez lui. Marie ne cesse de donner des conseils aux garçons et les met en garde contre les dangers du vaste monde et la tentation de la facilité. Depuis longtemps, ils ne l'écoutent plus.

Le départ d'Urbain a beaucoup affecté Antoine et Marie. Ce matin, quand Martine arrive seule, Antoine se trouve dans son garage et la regarde pousser le portail. Martine l'embrasse. Il se gratte la peau lisse de son crâne chauve.

– Et les garçons ?

– Ils avaient du travail. C'est pas grave, ils viendront la prochaine fois.

Antoine observe sa fille du coin de l'œil comme s'il cherchait quelque changement depuis la dernière visite, comme si l'absence d'Urbain avait laissé des traces sur ce visage aux joues encore lisses et ce front clair déjà plissé de quelques rides.

Martine monte l'escalier extérieur jusqu'à l'étage où se trouve la cuisine. Une odeur de meubles cirés règne dans cette maison, odeur d'enfance pour Martine, qui la retrouve avec une certaine satisfaction, de moisi pour Urbain, qui plissait les narines à chaque visite. Marie tourne un poulet dans sa marmite noire.

– Et les garçons ? demande-t-elle à son tour.

– Ils avaient du travail ! répète Martine.

Marie parcourt de ses gros yeux le visage de sa fille, avec curiosité, comme Antoine, mais avec aussi un air plein de soupçons. Martine baisse la tête, mal à l'aise.

– Alors ? demande Marie de sa voix sûre, un peu criarde.

– Alors, rien ! dit Martine en s'asseyant près de la table.

Marie pose le couvercle sur la cocotte et, sans se tourner, observe :

– Ça se voyait qu'il avait quelque chose de pas normal, ton Urbain. Chaque fois que j'ai voulu t'en parler, tu ne m'écoutais pas ! Mais, tu vois, j'avais raison. Maintenant, qu'est-ce que tu vas faire ?

– Attendre qu'il téléphone.

Marie soulève les épaules et se racle la gorge.

– À mon avis, tu vas attendre longtemps. Ces hommes s'embarrassent pas de scrupules. Il est parti et il se fiche bien de toi et des garçons ! Va savoir, il s'est peut-être laissé monter le coup par une de ces filles sans morale.

Martine fait la grimace. À cet instant, elle hait sa mère.

– Et puis il faut que tu fasses attention à l'argent. Tu devrais ouvrir un nouveau compte. Lui va pas se gêner et toi tu seras dans le besoin.

– Arrête de parler comme ça, maman.

– Et pourquoi que j'arrêterais ! Tu crois que c'est bien, ce qu'il a fait ? C'est vrai que de nos jours tout est permis. Mais tout de même...

– Arrête, je te dis.

Après le déjeuner, Martine prétexte beaucoup de travail pour rentrer à Paris en début d'après-midi. Elle ne veut pas rester plus longtemps dans cette maison entre sa mère qui ne cesse de maugréer et son père qui approuve en silence. En sortant du RER, elle découvre Paris sous le soleil, un soleil de printemps. Elle marche un moment le long du quai de la Seine. Des groupes de promeneurs profitent de la douceur de l'air. Martine sent alors sa solitude l'écraser et elle part la cacher dans son appartement. En arrivant, elle croise sa voisine du rez-de-chaussée. C'est une grande femme maigre, avec des dents de cheval et des cheveux gris. Elle occupe ses longues journées vides dans un centre d'accueil bénévole.

– Eh bien, madame Viallet, il fait beau, n'est-ce pas ?

– Ah oui, il fait beau !

– M. Viallet n'est toujours pas rentré de son stage ?

– Non.

La femme lui sourit, découvrant ses incisives tachées de rouge à lèvres.

– Vous savez, au centre, nous avons reçu une jeune femme d'Épinal et ses deux enfants. Nous l'avons aidée à trouver un foyer pour se loger. Elle nous disait que son mari était en stage, et figurez-vous que nous avons appris qu'il était en prison !

Martine entre dans le hall, appelle l'ascenseur. La pensée qu'on pourrait croire Urbain en prison l'oppresse.

9

Urbain est sorti de Paris par l'autoroute A 6. C'est sa direction habituelle quand il va à Turenne et il n'a même pas réfléchi en arrivant sur le boulevard périphérique. Il roule lentement, sur la file de droite ; il fuit Paris, le boulevard de La Tour-Maubourg, l'appartement, sa vie d'exclu. Mourir ou partir, l'alternative était simple, la fuite demande moins de courage.

Il avait dans l'idée de se rendre à Toulouse, la ville de ses études, mais il ne sait plus... Une espèce d'euphorie le tient en forme ; le voilà un autre avec des envies, peut-être des projets. Il s'arrête à un Restoroute dont le parking est envahi par les camions. C'est un self, Urbain prend une patte de poulet, des frites et une carafe de vin. Il s'installe près de la large baie et regarde les phares qui défilent sur la route. Les frites ont un goût d'huile rance, le poulet est immangeable, mais c'est le goût de la liberté retrouvée. L'image de Martine passe devant ses yeux. Elle a déjà lu son mot, et le maudit peut-être, tant pis.

Il boit un verre de vin. Une douce chaleur parcourt son palais. Il se sent léger, fort, comme un jeune homme. Vingt ans de sa vie sont effacés tout d'un coup et, en sortant de ce restaurant, il respire à pleins poumons la nuit fraîche. Où va-t-il dormir cette nuit ? À Clermont-Ferrand ? Cela ne le tracasse pas.

Finalement, il dort dans sa voiture à un arrêt où un monument triangulaire indique le centre géographique de la France. Au cœur de son pays, l'homme neuf se sent pousser des ailes. Ses yeux se ferment sur un sommeil plein de rêves heureux.

Il se réveille deux heures plus tard, croyant avoir dormi une éternité. Sa montre le détrompe. Il s'étire, va uriner contre un arbre et reprend sa route. Les lumières d'un village en contrebas ressemblent à des étoiles tombées dans un nid de brume. Le voilà presque à Clermont-Ferrand, une ville qu'il connaît un peu. La belle place Jaude, la cathédrale avec ses ruelles. Quelques souvenirs de jeunesse reviennent à son esprit. Que sont devenus ses deux copains de promotion qui y habitaient, Serge Defranc et Marc Ollpart ?

Les phares éclairent une route vide. Il roule très vite, dépasse d'immenses camions qui semblent ne pas bouger. À Clermont-Ferrand, Urbain passe devant l'usine Michelin et se dirige vers le centre-ville. La radio diffuse une musique anglo-saxonne. Julien n'écoute que ça. Jusque-là, Urbain en avait horreur, ce matin, il la trouve entraînante.

Place Jaude, il va garer sa voiture au parking souterrain en pensant à Serge et à Marc, ses deux inséparables copains à l'école de commerce de Toulouse, Serge, un grand gars blond, aux yeux bleus, jouait si bien de la guitare... Toutes les filles étaient pour lui. Urbain et Marc en étaient jaloux, mais ça ne durait pas. Une véritable amitié les unissait et que de bons moments ils avaient vécus ensemble ! L'occasion de renouer avec le passé est trop belle.

Le jour se lève. Une grande lueur blanche drape le ciel. Un peu de brume flotte sur les maisons. Urbain entre au Café de Lyon. Une curieuse émotion l'étreint comme s'il avait déjà séjourné dans cette ville et qu'il y revenait après des années d'absence. Il commande un petit déjeuner avec des croissants. Le serveur est un petit homme très droit avec une épaisse moustache rousse.

– Vous n'avez pas un annuaire ? demande Urbain.

L'homme s'éloigne sans un mot, passe derrière le comptoir et apporte l'annuaire du Puy-de-Dôme. Urbain, tout en mâchonnant son croissant, l'ouvre, trouve plusieurs Defranc, mais pas de Serge. Il note quand même les numéros. Avec un peu de chance...

Le soleil est sorti des collines et allume les toits rouges. Un autobus bondé fait vibrer la grande vitre... Serge Defranc habite peut-être dans ce quartier. Peut-être a-t-il quitté Clermont-Ferrand. Vingt et un ans, c'est si long ! Ce n'est pas parce que rien ne s'est passé dans la vie d'Urbain que celle des autres est restée vide. Et Marc ? C'était un garçon très maigre et fluet. Il avait une très belle voix aiguë et imitait Polnareff à la perfection.

Urbain suit une ruelle abrupte et arrive à la cathédrale. Il s'assoit sur un banc public, admire le monument. Des moineaux piaillent sur les arbres encore nus. À cette heure, Martine est dans le métro au milieu d'une cohue de gens au regard vide. À quoi pense-t-elle ? À lui ? Un vertige le prend : le voilà sans domicile fixe, sans attaches ! Une vieille dame le dévisage. A-t-il déjà changé ? Ne ressemble-t-il plus à ce cadre bien mis qui roulait en BMW ? Un clochard encore jeune, au visage d'alcoolique, tend la main.

– Z'avez pas un franc pour manger ?

Urbain fait un signe négatif de la tête.

– Bonne journée, monsieur! fait le mendiant en s'éloignant.

Alors, Urbain rattrape l'homme et lui tend une pièce de dix francs. L'autre le regarde, étonné, puis sourit.

– Z'êtes bien bon!

Non, ce n'est pas de la bonté, c'est pour conjurer le mauvais sort, pour qu'il ne devienne pas, lui aussi, cet homme sans identité qui dort dans les abris de bus. Un déchet de la société! Jusque-là, il avait un toit, mais ce soir, demain, où va-t-il dormir?

Un souvenir traverse son esprit: Urbain avait vingt-deux ans. C'était pendant son service militaire, à Bordeaux. Il avait bu beaucoup trop de bière et, totalement ivre, avait été abandonné par ses camarades sur un banc public. À son réveil, il avait rencontré Mylène, une fille superbe, étudiante en pharmacie. Mylène! Il revoit avec précision son visage rond, des taches de rousseur sur les joues qui lui allaient si bien, sa taille menue...

– Notre ennemi, c'est le temps! dit-il à haute voix.

Huit heures sonnent majestueusement au clocher de la cathédrale.

– Tant pis, je tente ma chance!

Il se dirige vers une cabine où une Portugaise crie d'une voix aigre. Quand elle a fini, Urbain cherche son papier et compose le premier numéro. Une voix de femme lui répond. Il demande Serge Defranc. Elle ne le connaît pas; Urbain s'excuse, raccroche et compose le deuxième numéro. C'est un homme, cette fois, bourru et malpoli. Le troisième numéro ne répond pas. Urbain finit par se lasser et va marcher au hasard des rues. Il revient vers le parking de la place

Jaude; plusieurs cabines téléphoniques se trouvent à l'entrée. Il entre dans l'une d'elles, compose le dernier numéro qu'il a relevé sur l'annuaire, celui de Georgette Defranc. Une voix tremblante de vieille femme lui répond:

– Mais c'est pourquoi?

– Je suis un ami. Nous étions étudiants ensemble à l'Institut des hautes études commerciales de Toulouse.

Un silence pendant lequel Urbain entend la respiration bruyante de la vieille femme.

– Et vous êtes qui?

– Urbain Viallet. Il se souvient sûrement de moi!

Encore un silence et cette respiration douloureuse qui fait un bruit de fer rouillé.

– Ah, mon pauvre monsieur...

Urbain retient son souffle. Il a perçu le désespoir de cette vieille voix.

– Je suis sa maman!

Urbain laisse libre cours à sa joie.

– Comme je suis heureux de l'avoir retrouvé! Vraiment! Cela fait si longtemps que je le cherchais.

– Ah, mon pauvre monsieur...

– Que s'est-il passé? Puis-je venir vous voir?

– Cela en vaut-il la peine? Si vous saviez...

– J'arrive.

Il raccroche. Bien sûr que cela en vaut la peine, mais qu'a voulu dire la vieille femme? Voilà plus de vingt ans qu'il n'a pas pensé à ce garçon et, ce matin, il tremble pour lui comme si c'était un de ses proches!

Un taxi le dépose devant un immeuble cossu, dans une vaste avenue en pente. Les pierres blanches éclatent au soleil. Urbain regarde les noms sur les boîtes aux lettres, trouve Defranc Georgette. Il s'engage dans l'escalier, sonne à une grande porte de bois verni. Une femme d'une trentaine d'années vient ouvrir. Urbain remarque ses yeux bleus, très beaux, les mêmes que ceux de Serge.

– Je suis l'ami de Serge ! bredouille-t-il.

– Maman vous attend.

Mme Defranc est assise dans un fauteuil sombre ; c'est une énorme femme au visage fripé, les joues flasques. Sous son menton pend une peau jaunâtre. L'appartement est cossu, avec des meubles de qualité. Des tableaux surchargent les murs. Comme Urbain les regarde, Mme Defranc dit :

– Une passion de mon mari, la peinture. Bien sûr, il y a des croûtes et peu de tableaux de maîtres, mais ce sont de bons compagnons !

Elle pose sur Urbain ses yeux rougis aux paupières trop grandes. Ses mains couvertes de taches de rouille tremblent légèrement.

– Ainsi, fait-elle de cette voix un peu rauque, rayée et grave comme une voix d'homme, vous êtes un ancien ami de ce pauvre Serge.

– Oui, nous nous sommes perdus de vue depuis bien longtemps, et je suis vraiment très heureux de le retrouver. Il a fallu ce voyage à Clermont-Ferrand...

La vieille femme baisse la tête.

– Ce pauvre Serge...

Elle soupire ; ses épaules se soulèvent et son corps tout entier semble s'effondrer.

– Vous voulez dire que...

– Non, il vaudrait mieux qu'il soit mort. Le destin nous réserve à tous de curieuses surprises, mais il aime l'injustice. Il comble les uns et prend tout aux autres !

Urbain bredouille :

– Je vous demande pardon de...

– C'est rien, fait Mme Defranc. Vous ne pouviez pas savoir. Il a eu un grave accident de voiture.

Ses yeux se sont mouillés. Elle s'essuie le visage avec un mouchoir très blanc. Sur ses mains courent des grosses veines bleues. La jeune femme aux yeux bleus fait un signe à Urbain.

– Je vous demanderai de ne pas insister, dit-elle. Maman a le cœur fragile, et son grand âge...

– Oui, bien sûr, je comprends parfaitement. Je vais me retirer.

– Si vous voulez voir Serge, il est au centre Lesserre pour grands invalides.

– Mais il va guérir, bien sûr...

– Non. Il est guéri. Il ne retrouvera jamais l'usage de ses membres. Il sera heureux de vous revoir, j'en suis sûre !

– Et Marc, son inséparable ami ?

– Il a quitté la région. Il est à Genève, je crois.

Une fois dans la rue, Urbain hésite : quelque chose le retient de courir vers cet ancien ami ; l'espoir d'une jeunesse retrouvée sombre dans le sordide.

Il doit d'abord chercher une chambre pour se reposer, le sommeil arrange tout. Mais à quelle porte frapper ? Serge pourrait le renseigner ; non, on ne demande pas de telles choses à un handicapé. Il marche un moment, s'arrête sans la regarder devant une vitrine, entre dans une brasserie. La salle est déserte à l'exception de deux hommes qui boivent une bière au comptoir. Urbain salue, s'assoit à une table. Le serveur est un petit homme chauve très droit avec une superbe moustache noire ouverte au-dessus de sa bouche comme des ailes de corbeau. Urbain commande une bière et dit qu'il cherche un hôtel pas cher pour louer une chambre au mois.

– Vous vous êtes disputé avec madame ? plaisante l'homme en souriant.

– C'est un peu ça ! répond franchement Urbain.

L'homme à moustaches en ailes de corbeau va au comptoir, remplit le verre de bière pression et revient vers Urbain.

– Faut voir Jeanine ! C'est un restaurant, mais elle loue quelques chambres dans une maison voisine qui lui appartient. Vous pouvez y aller de ma part. Moi, c'est Olivier, l'Olive, on dit ici. Je ne sais pas si elle aura une place, mais là, vous serez bien...

– Et vous avez son adresse ?

– Rue Basse. C'est Au Crapouillot. Drôle de nom, hein ?

Le serveur éclate de rire. Urbain se demande s'il n'est pas en train de se moquer de lui. Il boit deux gorgées de sa bière puis s'en va. Les taxis ne sont pas nombreux et il marche un bon moment avant d'en trouver un.

Le Crapouillot est situé au début de la rue Basse en face d'une place étroite. L'enseigne défraîchie en grosses lettres rouges éclate sur un mur gris. Urbain pousse la porte. Le restaurant a été aménagé dans ce qui devait être une cave. Les pierres apparentes des murs sont mises en valeur par des appliques lumineuses. Sur chaque table couverte d'une nappe rouge est posé un vase effilé avec des jonquilles. Derrière le comptoir une grosse femme le regarde. Son énorme poitrine est à l'étroit dans un chemisier blanc à manches courtes. Ses cheveux d'un blond de paille moussent autour de sa large figure. Un rouge à lèvres très vif souligne sa bouche aux contours vulgaires. Urbain la salue et commande une bière. La femme le sert sans un seul mot. Tout à coup, son visage s'éclaire.

– Vous, je vous connais, vous êtes le fils Gaillard !

Urbain marque son étonnement.

– Moi ? Certainement pas. Je suis Urbain Viallet et je viens chez vous par recommandation. Je voudrais louer une chambre au mois.

– Une chambre au mois ? Qu'est-ce que c'est cette histoire ? Vous n'êtes pas le fils Gaillard ? C'est fou ce que vous pouvez lui ressembler ! Notez que ça fait bien dix ans que je ne l'ai pas vu !

– Ah bon, et c'est qui ce fils Gaillard ?

– Jean-Jean qu'on l'appelait. Il avait la tête dure dans son enfance. Faut dire qu'avec sa mère... Et puis il s'en est très bien tiré. Paraît qu'il a monté une affaire d'affichage à Paris. Pour la chambre, j'en ai une, mais attention, ici, c'est une maison sérieure. C'est pas pour des petits après-midi avec une amie, hein ?

– Non, c'est pour dormir... Un certain Olivier m'a dit que vous aviez le meilleur restaurant de Clermont !

Elle ne croit Urbain qu'à moitié et le regarde de ses petits yeux pleins de soupçons. Elle pose ses mains rouges et rondes sur le comptoir.

– N'essayez pas de m'amadouer ! Je veux pas d'histoires. Jules est là pour surveiller. Je loue mes chambres à des gens honnêtes.

Elle parle d'une voix aiguë et stridente. Arrive un homme très maigre, le nez saillant comme une lame de faucille. Ses yeux globuleux sont veinés de rouge. Il porte une casquette de marin et marche d'un pas régulier et lent, comme un automate.

– Ah, Jules, te voilà ! dit la femme sur un ton de reproche, d'où viens-tu encore ?

Jules poursuit sa marche lente vers une porte du fond.

– Tu vas me répondre ? Tu étais où ?

– À la réserve, fait Jules d'une voix forte et timbrée, étonnante chez un homme aussi fluet.

– On en reparlera ! Maintenant, il y a du boulot. Tu vas montrer la chambre à monsieur. C'est la 3. Et passe dire aux cuisines que j'entends beaucoup de bruit.

Sans un mot, Jules prend une clef à un tableau et, de son pas mécanique, revient vers la porte.

– J'oubliais : ici, on paie en liquide. Suivez Jules.

C'est dit avec tellement d'autorité qu'Urbain se demande ce qu'il fait là, dans ce bistrot, à obéir à cette femme vulgaire qui ne bouge pas de son comptoir. Le voilà tombé bien bas ; pourtant, il emboîte le pas à Jules. L'entrée de l'hôtel se trouve à vingt mètres en contrebas à côté d'un vieux garage ouvert rempli de caisses, de cartons d'emballage. Pour marcher, Jules ne soulève pas ses pieds, qui raclent le trottoir. Il pousse une porte grise dont la peinture s'écaille.

– Vous serez le voisin de Rachid. Il travaille à la ville. Enfin, il vide les poubelles et part le matin à trois heures. Et puis il y a M. Leroux, celui-là, c'est un gars un peu cinglé. Il est pensionné de je-ne-sais-quoi et se dit artiste peintre. Ah, les pensions, ça nourrit des fainéants, voilà ce que ça fait !

Ils montent un escalier de bois qui sent la poussière moisie. C'est sombre, les murs sont gris, des fils électriques courent au plafond. L'homme continue :

– Avec Jeanine, faut pas faire attention. Elle est comme ça, mais c'est une femme travailleuse et qui sait commander... On refuse du monde presque tous les soirs.

Jules tourne la clef, ouvre une porte sur laquelle est gravé le numéro 3 dans un médaillon de cuivre. Une forte odeur de renfermé surprend Urbain. La chambre est minuscule avec des papiers flétris aux murs, un lit en fer, une armoire en bois blanc, un minuscule lavabo. Devant la fenêtre, un vieux rideau rouge pend à des anneaux trop grands.

– Voilà ! dit Jules en sortant de son pas mécanique, comme mû par un ressort. La douche et les W.-C. sont au fond du couloir.

Urbain va ouvrir la fenêtre. Le robinet fuit, la lampe de chevet n'a pas d'ampoule, et en face du lit se trouve un vieux fauteuil au tissu déchiré. Certes, ce n'est pas cher, mais ce n'est pas le luxe non plus. Urbain ôte le dessus-de-lit d'un beige sale. La couverture et les draps sont propres, c'est l'essentiel. Il s'allonge et décide de se reposer un peu. Plus tard, dans quelques heures ou demain, il décidera de son avenir...

10

Julien hâte le pas. L'envie qui lui noue le ventre ne peut pas être comblée par une cigarette ordinaire ou un whisky-Coca. Parfois, l'adolescent a le sentiment d'être une pierre, un gros rocher dans une pente et qui roule au hasard. Rien ne va. Au début, il a cru que le départ de son père allait tout arranger, qu'il allait retrouver la tendresse que sa mère avait autrefois pour lui et qu'elle a oubliée. Il est seul, il a froid; demain est un trou noir qui va l'engloutir. Demain existera-t-il seulement ? Il s'ennuie. Tout ce qu'il fait est dans le paraître. Sa tenue, son allure un peu provocante, ce besoin de se distinguer des autres, de jouer au dur ne sont qu'une façade, un chat qui hérisse ses poils pour être plus gros. Et puis il y a cette habitude de fumer du haschisch, de l'« herbe », comme dit Matthieu, son seul plaisir... Ce matin, il a encore volé quatre cents francs dans le sac de sa mère. Elle ne s'est aperçue de rien, mais ça arrivera forcément, puisqu'il prend de moins en moins de précautions et qu'il a toujours besoin de plus d'argent.

– Quoi de plus normal ! dit Matthieu. Tu achètes un paquet de cigarettes ordinaires, il faut bien le payer !

Julien connaît un peu mieux son camarade : « il bricole », quelques grammes de cocaïne par-ci, un peu de haschisch par-là... Matthieu vit dans la jungle des petits trafiquants et a su s'y faire une place. Son physique le sert. Personne ne le remarque avec ses verres de myope, son nez pointu, sa maigreur de jeune homme mal dans sa peau. Il peut porter un kilo d'héroïne dans son sac d'écolier sans broncher quand il passe devant les gendarmes. C'est un allié précieux pour Arnaud, qui fait de l'importation avec de mystérieux « grossistes » qu'il est le seul à connaître.

Au coin de la rue, Julien bouscule un vieil homme et ne prend pas le temps de s'excuser. Le vieillard lui crie une injure, il ne l'entend pas. Il marche très vite ; ses poumons réclament la divine fumée. Avec elle, le monde cesse d'être compliqué, il ne s'ennuie plus. Ses mauvais résultats à l'école n'ont plus d'importance, d'ailleurs, rien n'a d'importance, pas même les larmes sèches sur les joues de sa mère. Il comprend que Vincent est un prétentieux qui veut tout plier à sa volonté, alors pourquoi se priverait-il puisque ça l'aide à vivre, à oublier les « mon pauvre Julien, tu seras bien toujours le même ! » ?

Enfin la petite rue du Regard. Il entre dans l'immeuble, grimpe les quatre étages en courant, met la clef dans la serrure, cette clef que Matthieu lui prête. Ah, Matthieu, un véritable ami ! C'est grâce à lui qu'il connaît ces moments de liberté. Bien sûr, cela ne le conduira à rien. Et alors ? Va-t-il vers quelque chose ? Un but ? Non, Julien est un bateau sans gouvernail, il va vers le néant. Autant que ce soit sans souffrance !

Il s'étonne de trouver Barbara seule, assise sur le canapé, qui lui sourit. Il en est contrarié parce qu'elle le regarde toujours fixement et qu'il ne sait pas quoi lui dire.

– Viens, Julien. Je t'attendais...

Une forte odeur de tabac froid règne dans la pièce.

– Je croyais que Matthieu serait là..., dit-il d'une voix peu assurée.

– Non, il est parti faire une course avec Arnaud. Moi, j'avais rien à faire, alors je t'ai attendu. Tu sais, je t'aime bien. Viens t'asseoir près de moi.

Julien rougit. Il n'a pas peur des filles, non, mais il n'en a jamais approché et se sait maladroit. Chaque parole qu'il prononce lui semble idiote, chaque geste malvenu. Bien sûr, il aimerait avoir une amie, se promener avec elle dans la rue en lui donnant la main, mais comment faire le premier pas, comment parler de ces choses ? Et puis Barbara est plus âgée que lui, son corps n'est plus celui d'une jeune fille, mais d'une femme, et elle le domine par son expérience de la vie.

– Viens, tu as peur de moi ? Je ne suis pas méchante, tu sais !

Elle sourit et montre ses dents bien rangées. Il s'avance timidement vers le canapé et s'assoit sur le bord.

– Les autres vont arriver ? demande-t-il pour meubler le silence.

– Plus tard, mais tu sais, ils ont leurs trucs à faire. Ici, c'est seulement le lieu de rendez-vous pour ce que tu sais.

– Justement, Matthieu m'a dit de passer, qu'il avait de l'herbe pour moi. Je...

– De l'herbe ? Du foin, tu veux dire. Laisse, tu fumeras après. Pour l'instant, on discute tous les deux.

Julien a mal au ventre. L'envie de fumer met de l'électricité dans ses poumons.

– Tu fumeras après, continue Barbara. Ces machins, ça vaut rien pour la conversation entre un garçon et une fille. Dis-moi, tu as une petite amie ?

Il rougit. Il voudrait parler, faire le dur, montrer qu'il sait tout des filles, mais il ne trouve pas les mots.

– Je vois bien que tu es un tout petit garçon. Tu sais, tous les deux, on pourrait... Enfin, je pourrais t'apprendre quelques petits plaisirs...

– Tu n'es pas avec Arnaud ? Je croyais que vous deux vous étiez en ménage. Enfin, c'est Matthieu qui m'a dit ça.

– Matthieu ne voit pas plus qu'une taupe, mais il parle comme une pie. Ça pourrait lui jouer des tours. Tu le lui diras. Non, je ne suis pas avec Arnaud, je suis seule et si tu veux...

– Ah bon...

Là, sur ce canapé, tandis que Barbara s'est rapprochée de lui à toucher son épaule, Julien pense à son père, qui lui a répété si souvent de se méfier de tout le monde.

– Tu sais, continue Barbara, ta fumée, tu en as vite fait le tour. Ce n'est que du petit plaisir, du rien. Il y a mieux, beaucoup mieux.

Elle a remonté sa robe longue au-dessus de ses genoux. Julien voit ses cuisses légèrement écartées, image qu'il trouve indécente, et cela suffit à augmenter son malaise.

– Tu es un petit-bourgeois, rien de plus, surprotégé par tes parents, alors tu crois ce qu'ils t'ont répété depuis toujours. La drogue, ce n'est pas aussi méchant qu'on le dit. Comment penses-tu qu'ils font, les grands musiciens et les chanteurs ? Tous se cament, bien sûr, pas avec n'importe quoi.

– Fumer un joint, c'est pas se camer ?

– C'est rien du tout. C'est pour les enfants. Tu sais pourquoi la drogue est interdite en France ? Eh bien, parce qu'elle rend intelligent, elle te donne du courage... Tant que tu n'y as pas goûté, tu peux pas comprendre.

– Jamais j'y goûterai !

– Et pourquoi ?

– Parce qu'on en devient prisonnier et qu'il faut toujours plus d'argent pour finir par une overdose !

Barbara a un sourire plein de mystère.

– C'est bien ce que je dis, tu ne connais rien et tu répètes ce que les gens disent. Tout ça, c'est faux. Il faut des années pour être dépendant et seuls les malades meurent d'overdose. C'est comme l'alcool, il y a plein de gens qui savent apprécier une bonne bouteille et ne sont pas des alcooliques pour ça ! Et puis il y a les autres, ceux qui se torchent parce qu'ils sont malades !

À cet instant, Julien a envie de se lever, de fuir ce studio sordide, de courir chez lui, de s'enfermer dans sa chambre pour pleurer son malheur, mais Barbara le retient en posant sa main chaude sur la sienne.

– As-tu déjà fait l'amour avec une fille ?

Julien se contracte. Combien de fois a-t-il rêvé de faire l'amour, combien de fois a-t-il poussé jusqu'au bout les sensations de son corps, de son sexe, mais comment parler de ces choses-là à une fille ? Il sort un billet de deux cents francs.

– Donne-moi de quoi fumer, faut que je parte.

Elle rit aux éclats, repousse ses cheveux longs et lisses, noirs comme des plumes de corbeau, renverse la tête sur le dossier. De son chemisier ouvert, Julien voit la naissance de ses seins. Des frissons lui parcourent le dos.

– Tu peux toucher, si tu veux.

Barbara prend la main de Julien et la pose sur sa poitrine par l'échancrure du corsage. Le contact est doux, chaud, très agréable. Elle ouvre son chemisier et ses seins surgissent, libres, pointés vers l'adolescent, qui reste figé par la vue de ce qu'il ne connaissait qu'en image. La jeune fille pose ses lèvres sur les siennes. Julien se laisse aller, ébloui. Non, ce n'est pas un rêve, cette bouche collée à la sienne, cette main douce et chaude qui caresse sa peau sous sa chemise. Tout à coup, Barbara se rétracte.

– Je peux pas continuer comme ça ! Il faut ce qu'il faut.

Elle prend son sac, en sort une petite trousse marron.

– Je veux pas ! dit Julien, qui a compris.

– Tu veux pas quoi ?

Barbara fait jouer la fermeture Éclair et prend un petit sac de poudre blanche, une seringue neuve dans son emballage et une ampoule d'eau stérile.

– C'est pas avec une toute petite dose que tu vas devenir accro ! Et puis tu connais rien. Il y a drogue et drogue. L'héroïne, c'est pour les petits loubards, mais les riches, les artistes, ils prennent de la cocaïne et c'est bien différent. Il faut ça pour l'amour. Tu vois bien que tu ne tiendras pas le coup, tu trembles comme une feuille.

Il a un geste de refus, la jeune fille lui prend la main.

– Tu fumes bien du haschisch ? Alors, c'est la même chose, mais en mieux !

– Je veux pas...

– Écoute, ça donne du courage et ça augmente tes possibilités avec une fille, si tu vois ce que je veux dire.

– Et toi ? demande Julien d'une voix faible.

– Moi, j'en ai pris juste avant que tu arrives. Donne ton bras.

– J'ai peur des piqûres !

– Couillon ! Ferme les yeux.

Elle a un rire d'enfant quand l'aiguille pénètre dans la veine bleue. Julien ne sent rien, sinon les battements de son cœur, près d'éclater. Au bout de quelques secondes, tout s'apaise. Il n'a plus peur.

– Tu vois que c'est mieux que ton herbe ! fait Barbara. L'herbe, c'est pour le début, pour te préparer aux grandes sensations. Et puis j'ai mis une dose qui ne ferait pas jouir une souris.

Il ne répond pas. Il ne sait plus qui il est ni ce qu'il fait. Un doux sommeil le gagne. Barbara boutonne son corsage.

– Les autres vont arriver. On n'a plus le temps de s'amuser. Ce sera pour la prochaine fois. Tu veux, dis ?

Il fait oui de la tête, incapable de prononcer un mot. Quelques instants plus tard, Matthieu et Arnaud arrivent. Ils saluent Julien.

– Julien vient de m'avouer qu'il était puceau ! dit Barbara.

Matthieu a un sourire qui plisse ses gros yeux.

– Tu nous avais caché ça ! fait-il.

La nuit tombe. Julien doit rentrer, mais ses jambes sont molles. Il prend sa veste, salue tout le monde.

– Faut que j'y aille ! dit-il.

Il sort. Barbara l'accompagne sur le palier. À la porte de l'ascenseur, elle se blottit contre lui.

– On se retrouve dans la semaine, tu veux bien, dis ?

– Et les autres ?

– J'arrangerai ça. Viens mardi soir. N'oublie pas que je t'aime... D'accord ?

Bien sûr qu'il est d'accord. Pour sentir de nouveau les lèvres de Barbara, pour caresser ses seins nus, il ferait n'importe quoi. C'est la première fois qu'une fille lui dit qu'elle l'aime et cela lui fait un bien infini. Ses incertitudes ont disparu, le voilà enfin un homme.

– Un de ces jours, on va se faire piquer par les flics, c'est certain ! dit-il en ouvrant la porte de l'ascenseur.

– Aucun risque. Et puis Arnaud connaît du monde ! répond Barbara en l'embrassant de nouveau.

Dans la rue, Julien est surpris par le vent frais. Il baisse la tête comme si les passants pouvaient deviner d'où il vient. L'image sublime des seins de Barbara chasse les remords. Julien est amoureux ! Enfin, une fille pense à lui et attend avec impatience leur prochain rendez-vous. Il descend l'escalier du métro en sifflotant. C'est vrai, il s'est drogué, et alors ? Tant d'autres l'ont fait occasionnellement avant lui et n'ont jamais recommencé.

– Non, dit-il à voix basse, Barbara ne me veut pas de mal. Elle m'a dit qu'elle m'aimait. Et puis Matthieu est un copain, un vrai, qui sait rendre service.

La prochaine fois, Julien aura la force de refuser ! Il va même arrêter de fumer du haschisch. C'est moins cher que la cocaïne, mais c'est un début. L'amour de Barbara lui suffit !

À la maison, il trouve Vincent affalé sur le canapé. Sa mère prépare le repas, il l'embrasse. Elle le regarde sévèrement.

– Eh bien quoi ? Qu'est-ce qu'il y a ?

– Il y a qu'il manquait quatre cents francs dans mon sac.

– Et alors ? Qu'est-ce que j'en sais, moi ? Pourquoi ce serait moi qui les aurait piqués ?

Vincent a entendu l'allusion et se dresse au milieu du salon.

– Ils y étaient encore ce matin, dit maman. Moi, je ne suis rentré que cet après-midi, alors ?

Il a élevé la voix, comme s'il était au-dessus de tout soupçon, au-dessus de tout le monde. Il n'a pas de défaut, lui !

– Si j'ai bien compris, hurle Julien, il manque quatre cents francs et c'est moi qui les ai piqués ! Cela ne peut être que moi ! Il faut bien que quelqu'un porte le chapeau et je commence à en avoir l'habitude. Monsieur Vincent, lui, est bien au-dessus de ces petites choses ! D'ailleurs, pourquoi piquerait-il de l'argent, lui, puisqu'il a tout ce qu'il veut !

– Et toi, tranche Martine d'une voix criarde, tu n'as pas ce que tu veux, peut-être ?

– Moi, je suis le couillon de la famille !

– Dis donc, fait Vincent, ton cantique, on le connaît. Tu veux qu'on te plaigne, peut-être ?

– Ça suffit ! crie Martine en voulant s'interposer.

Devant leur mère, ils n'osent pas aller plus loin et s'éloignent l'un de l'autre en échangeant un regard mauvais.

– On ne parle plus de ces quatre cents francs, dit Martine. J'ai dû me tromper dans les comptes ! À table.

Vincent sort trois assiettes ; Julien, la tête basse, pose les cuillers et les fourchettes. Il pense à Barbara ; Vincent, avec sa tête ronde et son intelligence, pourrait-il séduire la jeune fille ? Julien se gardera bien de la lui présenter !

Le repas est morne. Les garçons ne se parlent pas. Martine essaie de détendre l'atmosphère, mais elle n'y arrive pas. Le silence s'installe et elle pense à sa solitude, aux draps gelés sur sa peau, chaque soir, des linceuls !

Après le repas, Vincent prend son manteau et prétexte du travail à finir chez Lionel. Martine se doute que ces sorties plusieurs fois par semaine cachent quelque chose de nouveau dans la vie de son fils. Une fille ? Peut-être. Le Vincent studieux qui travaillait jour et nuit a beaucoup changé en quelque temps...

Julien s'est assis devant la télévision. Comme d'habitude, personne n'a demandé à Martine si elle avait besoin d'aide. Faire la vaisselle ne la gêne pas, mais voilà, si un de ses fils avait proposé de la faire à sa place, ça lui aurait chauffé le cœur.

11

Vincent marche au hasard des rues, les mains dans les poches. Le soleil sort par moments, agréable sur la peau, puis un nuage ramène la fraîcheur. Paris est superbe en cette journée de printemps. Le dôme des Invalides resplendit. Sur la Seine, une péniche chargée de sable remonte le fleuve, si basse sur l'eau que le jeune homme imagine une vague qui la ferait couler... Pour lui non plus, rien ne va. Depuis quelque temps, il ne travaille pas assez. Valérie s'en est aperçue, mais en ignore la cause. Seul, Lionel, l'ami de toujours, est dans la confidence.

– Écoute, tu vas pas te prendre la tête pour une caissière ! Tu veux te la faire, tu te la fais, et puis salut la compagnie ! Tu vas pas gâcher ton année pour cette prétentieuse qui n'est même pas intelligente.

Ces paroles blessent Vincent, mais il ne proteste pas : Lionel a peut-être raison, mais qu'est-ce que la raison face à cet irrésistible élan ? Chaque jour, il se rend rue de Varenne, épie Sylvaine de loin sans oser l'aborder. La pensée de la jeune fille ne le quitte plus. Elle le distrait en cours, pendant l'étude, chez lui, le poursuit jusque dans son sommeil. Mais pourquoi Sylvaine ? Pourquoi pas Valérie, Babette ou n'importe quelle autre fille ? L'été dernier, il a flirté avec une Marseillaise en vacances à Turenne. Quelques jours après la séparation, il n'y pensait plus. Il ne restait de cette relation qu'un tendre souvenir. Il avait tout de suite retrouvé sa place à Paris parmi ses amis, et il s'était juré de passer l'année à travailler. Mais Sylvaine est arrivée...

Il la voit de temps en temps mais évite les questions importantes et se contente de bavarder de tout et de rien. Sylvaine a compris et s'en amuse. L'autre soir, au cinéma, dans le noir, il n'a pas osé prendre sa main. Il s'en est voulu une partie de la journée suivante... Le voilà rue de Rennes ; il hésite puis entre dans l'immeuble, appuie sur l'Interphone.

– Sylvaine, c'est moi, Vincent.

– Qu'est-ce que tu veux ?

– Je passais, alors, j'ai pensé venir te dire un petit bonjour.

– Monte.

Il grimpe l'escalier jusqu'au deuxième étage, frappe à une porte vernie qui s'ouvre. Sylvaine lui sourit. Ses cheveux noirs attachés en un petit chignon dégagent son front large et haut. Elle porte un jean qui moule ses hanches, fait ressortir sa poitrine.

– Bonjour, Vincent !

Le studio est minuscule, mais bien aménagé. Une petite table au milieu, un coin cuisine et, sur le côté, le lit avec des coussins à fleurs roses, une petite télévision sur un meuble bas. Vincent, debout près de la porte, n'ose pas bouger. Déjà, ses belles résolutions sont parties.

– Assieds-toi !

Elle lui montre le bord du lit et s'assoit à côté de lui.

– Alors, fait-elle sur un léger ton de reproche. Il ne peut pas se passer un jour sans que tu me tournes autour...

– Sylvaine, je...

– Écoute, Vincent, je vais te dire quelque chose. J'ai vécu deux ans avec un garçon. On devait se marier et un jour il est parti. C'est banal, n'est-ce pas ? Maintenant, je veux être un peu tranquille.

– Moi, je te laisserai pas, ose Vincent d'une voix timide.

– Je t'ai dit que tu étais un enfant. Qu'est-ce que tu veux ? Coucher avec moi ? Tu te dis que l'étudiant en math sup. n'aura pas de mal à se faire une petite caissière. Tu veux t'amuser, bien sûr, pour t'en vanter auprès des copains, c'est ça que tu cherches ? Je ne suis pas aussi simplette que tu le crois.

Vincent a le courage de regarder Sylvaine dans les yeux qu'elle a d'un beau noir profond.

– Tu te trompes, dit-il. Je ne travaille plus, je vais rater mon année. J'aurai comme excuse la séparation de mes parents, mais c'est pas la véritable raison.

Cette fois, c'est Sylvaine qui détourne les yeux. Les mains de Vincent sont posées sur le dessus-de-lit, des mains d'étudiant, fines et longues, qui n'ont pas connu la morsure du travail.

– Moi, mes parents ont divorcé, j'avais quatorze ans ! dit la jeune fille. Ils m'ont laissée chez ma grand-mère et, bien sûr, j'ai fait quelques bêtises dont celle de me faire renvoyer de plusieurs écoles. J'ai fait un peu de secrétariat, mais ça marchait pas avec mes grands-parents. J'ai voulu être libre, indépendante et pour ça il n'y a que le travail. Voilà, maintenant, je le regrette un peu...

– Quand je t'ai vue la première fois...

– Arrête, on me l'a déjà dit ! Mon erreur a été de le croire.

– Non, Sylvaine, moi, je ne mens pas. Je pense à toi tout le temps et ça me détruit.

Sylvaine a reculé la tête ; les lèvres entrouvertes, elle regarde Vincent et découvre son visage rond, son front haut et lisse avec une marque de rubéole entre ses sourcils noirs. Son menton est large, carré et fendu en son milieu de cette marque des gens volontaires. Ses yeux sont noirs, minuscules et pleins de détermination.

– Tu es complètement fou ! murmure-t-elle en s'approchant de lui.

Alors, il ose poser sa main sur l'épaule de la jeune fille, qui ne le repousse pas.

– Je sais qu'il ne faudrait pas ! dit-elle

– Si, il faut, mumure Vincent, dont le cœur bat très fort.

Enfin, elle se raidit et dit :

– Pas de précipitation, tu veux ? Vincent, rentre chez toi maintenant. On se reverra demain !

Il n'insiste pas. Il est tellement heureux qu'il l'embrasse sur la joue. Bien sûr, il reviendra demain et tous les jours. Il descend l'escalier, court au métro puis rentre chez lui en chantonnant. Sa mère, qui n'est pas couchée, le regarde, étonnée. Il claque la porte de sa chambre et veut se mettre au travail, mais n'y arrive pas. Sylvaine lui a dit de revenir, c'est donc que tout est possible. Tout.

Le téléphone sonne, c'est Valérie. Il devait travailler avec elle cet après-midi. La voix de Valérie se fait menaçante.

– Vincent, tu déconnes !

Ce soir, il s'en moque.

Le lendemain, vers neuf heures, après une nuit agitée, il rejoint Valérie à la sortie du métro et tous deux rejoignent Lionel qui les attend à l'entrée du lycée. Valérie insiste.

– Tu déconnes ! C'est encore cette nana qui te prend la tête ?

– Écoute, Valérie, je ne me pose plus de questions ! Regarde mon père et bien d'autres à quoi ça leur a servi de faire des maths et des études !

– Arrête, Vincent. Il faut te ressaisir et vite !

Elle a parlé fort, peut-être avec une pointe de jalousie que Vincent n'a pas remarquée.

À la fin des cours, il sort le premier, dévale l'escalier du métro, court dans les couloirs et arrive, essoufflé, chez Sylvaine. Elle pose un baiser léger comme une plume sur ses lèvres. La porte se referme sur eux et Vincent range son sac à côté du lit, ce sac lourd des cours qu'il ne travaillera pas.

– On est fous ! dit Sylvaine. Je le sais, tu vas bientôt atterrir et découvrir que je ne suis qu'une fille ordinaire, que je t'ai fait rater ton année scolaire. Crois-moi, il vaut mieux arrêter tout de suite, avant d'avoir commencé.

– Non, dit Vincent. Je ne pense qu'à toi. Mon année n'a pas d'importance. D'ailleurs, je ne la raterai pas. Il suffira que je me mette au travail dans quelque temps et je rattraperai le retard.

– Mais tu auras vite honte de sortir avec moi, surtout avec tes amis.

– Mes amis ? Pour toi, je veux sacrifier tous mes amis et même ma famille.

– Ne parle pas comme ça, Vincent ! Tu es un enfant.

En rentrant du collège, une surprise attend Martine. Elle trouve enfin sur son répondeur un message d'Urbain qu'elle écoute plusieurs fois : « Tout va bien, je suis à Clermont-Ferrand, Au Crapouillot, c'est le nom curieux de l'hôtel où je loge en ce moment. »

Elle cherche aussitôt le numéro du Crapouillot sur le Minitel, décroche son téléphone, puis hésite. Finalement, elle repose le combiné et se met à préparer ses cours du lendemain. Quelques instants plus tard, la sonnerie la fait sursauter. Elle se précipite, le cœur battant, murmure un « Allô ! » à peine audible.

– C'est moi, fait Vincent. Je ne rentre pas ce soir. Je suis chez un copain, on va travailler tard et je veux pas prendre le métro à une heure du matin.

– Tu est chez Lionel ?

– Non, chez Nicolas, un copain que tu connais pas, c'est un nouveau... T'en fais pas, tout va bien. À demain, mam.

– Ton père a appelé. Il est à Clermont-Ferrand.

– Et qu'est-ce qu'il fout dans ce bled ?

– Je ne sais pas.

Voilà Martine seule pour la soirée. Le nid s'est ouvert à tous les vents et elle-même ne fait qu'y passer, pourtant, ce soir, elle éprouve un tel besoin de compagnie qu'elle appelle Armelle.

– Ah, Martine ! Tu es seule ? Eh bien, viens à la maison !

– Je me fais du souci pour Vincent. Je suis sûre qu'il m'a menti !

Un éclat de rire dans le téléphone.

– Ton Vincent découvre certaines choses plus agréables que les mathématiques et on ne peut pas lui en vouloir. Laisse, c'est aussi nécessaire.

– Et s'il rate son année ?

– Il recommencera. Dans la vie, rien n'est à une année près. Et toi, au lieu de te ronger les ongles seule dans ton coin, pense à toi, pense à vivre, c'est tout ce qu'il te reste à faire.

Parfois, Martine se demande pourquoi Armelle est son amie. Toutes deux sont si différentes ! Armelle suit ses impulsions et ne voit que le bon côté des choses, tandis que Martine ne cesse de réprimer ses moindres désirs comme s'il était honteux d'avoir une vie à soi, indépendante du restant de la famille.

– Écoute, Martine, tu vas pas passer ta soirée à te lamenter, à retourner des mauvaises idées dans ta tête ! La solitude est mauvaise conseillère. Je t'en prie, téléphone à Jacques. La présence d'un homme, même si ce n'est qu'un collègue, est bien meilleure que celle d'une femme.

– Téléphoner à Jacques ? Mais ça va pas !

– Eh bien, je vais le faire, moi !

– Non, je t'en prie, ne le fais pas !

Elle n'a protesté que pour la forme et accepterait la compagnie de n'importe qui pour ne pas céder à son désarroi.

Quelques instants plus tard, le téléphone sonne de nouveau. C'est Jacques ; sa fille est chez sa grand-mère, il est donc libre pour l'emmener dîner quelque part dans le Quartier latin. Elle accepte. Voir des gens, la vie autour d'elle et non ces objets pleins de souvenirs, mais immobiles et froids !...

12

Jamais Julien n'a été aussi heureux. Voilà un mois déjà que Barbara l'attend deux fois par semaine, dans le studio de Matthieu. Il l'aime. La jeune fille occupe toutes ses pensées et ses désirs même s'il s'étonne encore que le petit garçon qu'il est resté puisse lui plaire. Lorsqu'ils sont seuls, Barbara le laisse l'embrasser, caresser son corps et ses seins. Ils roulent enlacés sur le canapé. Julien découvre ce corps de femme qu'il redoute un peu. Ils n'ont pas encore fait l'amour, Barbara dit qu'il faut prendre son temps. Le jeune homme est d'accord par crainte de montrer sa maladresse et son inexpérience. D'ailleurs, l'amour, il le fait dans sa tête quand il est seul dans sa chambre.

Il ne refuse plus la piqûre de cocaïne qui lui procure l'audace de son délire amoureux et une sensation de bien-être qu'il n'avait jamais connue jusque-là.

– La dose est bien trop faible pour te rendre accro ! dit la jeune fille. Il faut des mois, des années, d'ailleurs, on arrête quand tu veux !

Non, il ne veut pas arrêter ! Jusqu'alors, il pensait que la drogue apportait des visions de paradis, procurait une vie de rêve aussi palpable que la réalité. Mais rien de tout cela : la cocaïne remplit la tête de soleil ; les difficultés disparaissent, le monde s'ouvre comme un vaste lit où il fait bon dormir. Julien n'est plus le mauvais élève, l'adolescent qui s'ennuie, il devient un homme plein de confiance dans le lendemain.

Il ne vole plus d'argent à sa mère puisque la cocaïne est gratuite : Barbara s'est arrangée avec Arnaud. Il ne fume plus ; pourtant, le soir dans sa chambre, une envie diffuse et sans objet déchire son estomac. Des frissons parcourent son dos, et ses bras se hérissent de chair de poule.

La fin du mois d'avril est douce. Les hirondelles tournent autour du dôme des Invalides. Les tulipes égayent les parterres de leurs couleurs vives. C'est dimanche, Julien va rejoindre Barbara et il marche très vite.

Il arrive, essoufflé, rue du Regard, et monte par l'escalier en courant. La jeune fille est là, exacte au rendez-vous. Il la prend dans ses bras, respire le parfum de ses cheveux, promène ses lèvres sur la peau chaude et douce de son cou. Au bout d'un moment, Barbara se dégage.

– Julien, j'ai réfléchi...

Julien prend un air étonné ; un liquide froid coule en lui.

– Tu as réfléchi ? Ah bon ! fait-il d'une voix blanche.

– Faut qu'on arrête. Sur le coup, ça va te faire de la peine, mais je ne suis pas une fille pour toi. Tu es trop jeune et je ne peux que t'entraîner là où tu ne veux pas aller !

– Mais Barbara, je...

– Moi aussi, ça me fait de la peine, mais je sais que j'ai raison.

Le monde s'effondre. Un bruit d'avalanche retentit dans la tête du jeune homme. Il reste un long moment immobile à regarder Barbara, incrédule, mais Barbara ne baisse pas les yeux.

– Réfléchis une seconde, toi aussi ! J'ai sept ans de plus que toi et ça ne marcherait pas !

Elle le prend dans ses bras et le serre très fort.

– C'est pour toi que je le fais. Tu ne sais rien de moi et je ne peux que te faire du mal.

– Je m'en fous que tu me fasses du mal !

– Non, Julien. Tu m'en voudrais toute ta vie et je veux que tu gardes un bon souvenir de moi.

– Mais, Barbara, je ne pourrai pas vivre sans toi.

– Tu m'oublieras vite. Je te laisse ça.

Elle pose la petite trousse marron sur la table, prend son manteau et s'en va. Julien est toujours debout au milieu de la pièce. Ses membres sont de verre. Son cœur ne bat plus. Des idées folles traversent son esprit, comme des lames froides. Il ne quitte pas des yeux la petite trousse. Elle contient une seringue neuve, un sachet de poudre et une ampoule d'eau stérile. Des vagues de frissons lui parcourent le dos. Il tremble. Ses poumons brûlent.

Non, il ne peut pas s'injecter lui-même de la drogue. La cocaïne n'a de sens qu'avec Barbara. Il se dirige vers la porte, s'arrête. Un sanglot soulève ses épaules. Le beau rêve est donc fini. Pour Barbara, Julien aurait eu la force de devenir un bon élève, d'apprendre un métier, de se surpasser, mais elle a bien vite compris qu'il était un petit minable, placé dans une école dorée pour cacher sa nullité. Jamais Julien n'aura l'audace et l'assurance de Matthieu ou de Manu. Il est de la race de ceux qui rampent et que tout le monde dédaigne. Et puis il est laid, horriblement laid. Quand la glace lui renvoie l'image de son visage anguleux, ses yeux bleus vides de lumière, son front haut, son nez court et retroussé, ses cheveux blonds de fille, il a envie de s'enfermer au fond d'un placard, dans une cave, là où personne ne pourra le voir.

Alors, il revient dans le studio, ouvre la trousse, dissout un peu de poudre dans l'eau stérile de l'ampoule, pompe le liquide blanc avec la seringue. Il tremble tellement que l'opération lui demande plusieurs minutes. Il déboutonne la manche de sa chemise et, l'esprit vide de pensée, place l'aiguille sur la veine bleue à côté des points des anciennes piqûres, ferme les yeux et l'enfonce d'un geste vif. Il appuie sur le piston, le liquide blanc entre en lui, la vie revient.

Une ivresse progressive se répand dans sa chair, le submerge. Ce n'est pas un plaisir palpable, mais une sensation de bien-être intense. Il se laisse aller, il vogue, les yeux fermés, se donne à son plaisir qui efface le monde et l'amour déçu de Barbara. Enfin, la paix !

Il s'est endormi. Quand il se réveille, sa montre marque six heures. Les paroles de Barbara reviennent à son esprit ; il grimace, prend son manteau et sort, les épaules basses.

Mai commence par plusieurs jours d'une pluie qui traverse les habits. Des bourrasques de vent courent le long des rues. Les platanes aux feuilles tendres et délicates s'ébrouent sur les piétons. Julien traîne sa misère et son mal au corps qui réclament une piqûre. Il a cherché Barbara, mais elle n'est pas revenue au studio et Matthieu n'a rien pu lui dire. À l'école, il reste dans son coin, sourd aux remarques vexantes de

Gard et de son équipe. Il s'enferme dans sa chambre et reste de longues heures sans rien faire, en proie à cette douleur intense qui grandit en lui. Vivre lui pèse.

– Bah, qu'est-ce que tu t'en fais ? dit Matthieu. Barbara, c'est une salope, tout le monde le sait. Les filles ne manquent pas et puis tu as la poudre, c'est une raison de vivre, ça !

C'est vrai que la poudre permet d'oublier bien des désillusions ; le manque durcit déjà son estomac et réveille une douleur diffuse qui ne le lâche pas. La chair de poule hérisse ses avant-bras. Le frottement du pantalon sur ses mollets lui arrache des grimaces de douleur. C'est surtout le soir, au lit, quand il est seul, que l'envie devient énorme. Il pense alors à sa mère, à son père. S'ils savaient... Il se dit qu'il doit arrêter, mais l'envie est si forte, le plaisir si grand que les raisons de résister lui semblent vite futiles.

Un soir, il en parle à Matthieu. L'autre le regarde de ses gros yeux de crapaud et sourit en montrant ses larges incisives.

– Pourquoi tu me l'as pas dit plus tôt ?

– Je n'ai pas d'argent, je t'ai dit !

– Écoute, tu es mon copain, alors, je veux te rendre service. Je vais te trouver un peu de bonne camelote. Un conseil, n'achète pas n'importe quoi. Ce qui fout la santé en l'air, c'est la poudre mélangée à des tas de saloperies ; moi, je vais te filer de la pure cocaïne, celle qu'achètent les artistes riches. Bien sûr, c'est plus cher.

Le lendemain, après le déjeuner, Matthieu lui donne discrètement un petit paquet.

– Tu as tout ce qu'il faut dedans. Surtout, ne prends pas n'importe quelle seringue si tu veux pas choper le sida. Et puis pour l'eau, tu la stérilises en la faisant bouillir avec ton briquet.

Julien bredouille un vague merci à son ami. Il attend le soir avec impatience. Après le dîner, il s'enferme dans sa chambre. Fébrile, il prépare sa piqûre, sans penser à rien. L'illumination ne se fait pas attendre. La dose devait être un peu forte, allongé sur son lit, il voit tourner les murs, le bureau, la chaise. Il flotte entre ciel et terre sur un nuage doré.

Une heure, une semaine, un siècle plus tard, il se lève, va faire sa toilette et revient se coucher pour retrouver ce rêve sans images, cette sensation d'avoir atteint un but si longtemps entrevu.

Matthieu a bien fait les choses. Julien a de quoi se piquer une deuxième fois et la semaine passe vite. Le samedi suivant, le manque le harcèle de nouveau. Il rentre boulevard La Tour-Maubourg. Sa mère est absente, un mot est posé sur la table : « Je serai de retour vers cinq heures. Si tu as faim, ouvre le frigo, j'ai fait les courses. »

Non, il n'a pas faim, en tout cas pas d'une nourriture ordinaire. Il a faim de cette chose sublime qui, en quelques secondes, donne des ailes et cette sensation d'être invincible.

Il tourne en rond un moment, passe dans sa chambre, déplace des objets puis revient dans le salon. Pour oublier son malaise croissant que l'absence de sa mère renforce, il regarde la télévision, mais la douleur aiguë de son estomac l'empêche de fixer son attention. Sa mère garde toujours une petite réserve d'argent dans le tiroir du buffet. Julien, les doigts tremblants, trouve l'enveloppe cachée sous une pile de papiers et de photos. Il en sort deux billets de cent francs ; que faire avec si peu ? Il les glisse quand même dans sa poche et sort. Marcher le calmera. Le ciel est gris. Il ne pleut plus et le soleil passe par moments entre les nuages. Julien n'aime pas Paris. Plus tard, il ira vivre à Turenne ou dans n'importe quelle autre ville, mais dans le Sud, pour avoir chaud et surtout fuir la tristesse des rues, cette foule pressée dans les couloirs du métro. Il se rend place Saint-Michel, erre autour de la fontaine, reluque les groupes d'étudiants qui bavardent les mains dans les poches. Certains sont des revendeurs, c'est sûr mais comment les aborder pour leur demander de la drogue ? Matthieu dit qu'il ne faut pas acheter n'importe quoi, mais que faire avec deux cents francs en poche ?

Au fait, Matthieu est peut-être dans son studio ? C'est à deux pas, Julien y court et trouve en effet son ami en compagnie d'une fille qu'il ne connaît pas. Elle est grande et maigre avec des cheveux sales noués derrière la nuque.

– Ah, c'est toi ? fait-il en remontant ses lunettes.

– Faut que je te parle ! dit Julien à voix basse.

– Tu peux. Marie-Anne est dans le même cas. Tu veux de la marchandise ? Ouais, mais faut me la payer, moi, j'ai pas assez de fric pour fournir gratos tout le monde.

Julien baisse la tête. Il a le sentiment de se prostituer, d'être un pantin dont Matthieu tire les fils.

– Je n'ai que deux cents francs.

– Bon, c'est parce que tu es un copain ! Je peux te dépanner, mais faut trouver le complément pour la prochaine fois. C'est six cents francs pour les amis.

– Six cents francs ? Mais où je vais les trouver ?

Matthieu le regarde avec un petit sourire en coin.

– Ben, tu les piques ou tu te fais enculer par des vieux à Montparnasse. C'est ce que je viens de conseiller à Marie-Anne ! Sur le trottoir, elle les aura vite gagnés, ses six cents francs. Mais elle a peur du sida.

– Mais c'est affreux ! s'indigne Julien, qui n'a pas tout perdu de sa bonne éducation.

– Dis donc, au point où tu en es, il faut oublier le catéchisme. Enfin, je te présenterai des copains qui pourront t'aider.

Maintenant, Julien sait qu'il a été roulé par tout le monde, que l'amitié de Matthieu n'était destinée qu'à le conduire là, avec la volonté délibérée de l'entraîner dans la drogue. Ça n'a pas été difficile, les mimiques amoureuses de Barbara ont endormi ce mal-aimé et le voilà désormais prisonnier. S'il avait du courage, il avouerait tout à sa mère ou aux gendarmes ! Il prend du bout des doigts le paquet que lui tend Matthieu.

– Je veux pas rencontrer tes copains. Je me débrouillerai seul.

– Comme tu voudras. C'est parce que tu es un ami que je te dépannes une nouvelle fois, mais c'est la dernière. Tu peux rester et t'installer sur le canapé, tu trouveras du matériel propre dans la petite trousse. Marie-Anne et moi, on va faire une course.

Ils sortent et ferment la porte. Le silence retombe sur le petit studio. Julien prend la seringue neuve et l'ampoule d'eau stérile. Tout son corps s'ouvre à la vie au contact de ce petit paquet de poudre blanche. Chaque organe accède à une vie supérieure, inaccessible autrement, le monde entier est à ses pieds.

La piqûre faite, il reste un long moment sur le canapé, les yeux mi-clos, sans pensée, béat. Le jour baisse quand il reprend ses esprits. Il doit rentrer chez lui. Pourvu que Vincent soit absent ! Son frère sait deviner bien des choses et pourrait percer son secret...

À l'appartement, il trouve sa mère seule. En quelques semaines, Martine a beaucoup changé : ses joues se sont creusées, son front s'est ridé. Ses vêtements flottent autour d'elle.

– Vincent n'est pas là ? demande Julien en l'embrassant.

– Non, il travaille chez Valérie. Il ne rentrera que demain.

Martine sait que Vincent ne travaille pas chez Valérie, mais elle préfère repousser le moment des révélations. Elle est dépassée et baisse les bras. En temps ordinaire, elle aurait déjà demandé le carnet de notes de Julien et commenterait les résultats, mais voilà, depuis plusieurs samedis, l'adolescent est bien tranquille, sa mère ne demande rien et signe le carnet après l'avoir survolé du regard.

C'est l'heure du dîner. Julien s'assoit à table et, tandis qu'il mange, sa mère le regarde attentivement. Quelque chose a changé dans le visage de ce garçon, quelque chose d'insignifiant, mais qui le transforme. A-t-il maigri ? Pas vraiment. Ses joues sont pâles. Lui qui avait ce côté arrogant baisse désormais la tête, fuit le regard des autres. Martine remarque un léger tremblement des doigts qui l'étonne.

– Tu a été malade, cette semaine ?

– Moi, pourquoi ?

La peau de l'adolescent a une blancheur de porcelaine. Il prend une pomme de terre de la pointe de la fourchette, avec cette délicatesse un peu féminine, cette élégance naturelle que jalouse tant Vincent. Il pose sa fourchette et lève les yeux sur sa mère.

– Voilà, dit-il, je veux arrêter l'école et travailler.

Martine se dresse vivement.

– Quoi ? Travailler, mais qu'est-ce que tu sais faire ?

– Pour empiler des boîtes de conserve dans un rayon de surpermarché, il n'y a pas besoin d'être bien malin.

– Mais enfin, ton avenir, Julien, tu te rends compte, tu ne vas pas faire ça !

– Et pourquoi pas ?

Il baisse de nouveau la tête sur son assiette. Sa mèche roule devant son visage.

– Mais...

Martine est à court d'arguments. C'est si gros, si inattendu, si incroyable qu'elle ne sait quoi dire.

– Mais, tu vas passer ta vie à un travail qui ne te plaira pas. Il faut attendre, trouver ta voie...

– Et ça va m'avancer à quoi ? Le cours Laurent, ce n'est pas pour moi, comme toutes les écoles, d'ailleurs. Je ne serai jamais un savant, faut s'y faire.

Autant de lucidité de la part de Julien étonne Martine. Il n'est donc pas dépourvu d'intelligence ou en tout cas de bon sens. S'il veut travailler, c'est pour avoir de l'argent, cet argent qu'il dérobe, mais pour quoi faire ? La lumière de la lampe allume des reflets dorés dans ses cheveux.

– Tu manques d'argent ? C'est ça, tu veux plus d'argent pour tes sorties. Je le comprends, tu vis dans un milieu de riches.

– C'est vrai, dit l'adolescent, j'ai besoin d'argent et ça me fait de la peine de t'en demander. Mais si je veux travailler, c'est surtout parce que je n'ai rien à faire de mieux.

– Mais pour travailler il faut des diplômes. Je ne peux pas te laisser faire quelque chose que tu regretteras toute ta vie.

– Regarde papa ! Il doit regretter d'avoir perdu toute sa jeunesse à préparer des diplômes.

– Papa, d'accord, mais moi, j'ai toujours du travail.

– Toi, tu es fonctionnaire, c'est pas pareil.

Il se lève en poussant sa chaise dans un geste qui n'est qu'à lui, moulé, un peu lent et en même temps gracieux.

– Où tu vas ?

– Au cinéma avec mes copains. J'ai pris ma clef, tu peux fermer la porte.

Il passe se changer dans sa chambre et sort. Julien ne va pas au cinéma, il va marcher dans les rues de Paris avec, à l'esprit, ce que Matthieu lui a dit cet après-midi. Pour Martine commence une soirée de solitude, une de plus où l'envie de téléphoner à Urbain est toujours présente à son esprit.

13

Depuis quelque temps, Vincent reste très peu à l'appartement. Il arrive en coup de vent, embrasse sa mère et repart. Ce soir, exceptionnellement, il est là. À la fin du repas, il va dans sa chambre et en ressort quelques instants plus tard avec un sac de voyage. Comme il s'apprête à repartir, Martine se met devant la porte.

– Vincent, tu me caches quelque chose. Où passes-tu tout ce temps ?

Elle hésite et ajoute :

– Chez une fille ?

Vincent sourit, regarde sa mère avec condescendance.

– Ma pauvre maman, qu'est-ce que tu vas t'imaginer ? Je travaille, voilà la vérité.

Elle ne le croit pas, mais se contente de cette réponse. Vincent la prend dans ses bras et l'embrasse tendrement comme lui seul sait le faire, alors elle ne pose plus de questions.

Quelques jours plus tard, Valérie vient la voir. La jeune fille n'en peut plus. Elle attend Vincent tous les matins à la sortie du métro, mais Vincent ne vient plus aux cours. Elle se rend boulevard La Tour-Maubourg, bien décidée à tout raconter. Vincent lui en voudra, mais tant pis, c'est pour lui.

– Entre, dit Martine. J'étais en train de préparer du café. Tu vas bien en prendre une tasse avec moi ?

Elles s'assoient au salon. Valérie connaît bien cet appartement, où rien n'est plus comme avant. Autrefois, il y avait un beau désordre plein de vie et de chaleur, aujourd'hui, tout semble mort : la poussière s'est déposée sur les tableaux, sur les meubles, les faïences de la fausse cheminée. La jeune fille décide d'aller droit au but.

– Je suis venue vous voir à propos de Vincent.

Elle a baissé les yeux et rougi en prononçant le nom du jeune homme. Martine s'en doutait et une sourde appréhension l'étreint.

– Il ne vient plus en cours depuis plusieurs jours ! continue Valérie, et quand il vient, c'est pour regarder par la fenêtre. Il est complètement dépassé par les événements, il va à l'échec, c'est certain.

Martine regarde sa petite cuiller qu'elle fait nerveusement tourner dans sa tasse.

– Et tu sais ce qu'il fait ? demande-t-elle d'une voix blanche.

– Il est avec une fille, une caissière du Casino de la rue Lecourbe.

– Une caissière ?

Martine sursaute. Son fils si brillant, son Vincent qui a la tête sur les épaules, perd son temps avec une caissière ! Elle s'attendait à une liaison, certes, mais une étudiante, quelqu'un de son milieu, pas une fille sans instruction !

– Tu es bien certaine qu'elle est caissière ? Elle fait ça pour vivre. Elle prépare quelque chose, non ?

– Non, elle ne prépare rien. C'est une fille qui n'a fait aucunes études et Vincent est en train de foutre sa vie en l'air pour cette mijaurée, qui n'est même pas belle.

Martine reste un moment silencieuse, puis elle dit, défaitiste :

– Plus rien ne va depuis qu'Urbain a perdu son emploi. Et que faire ?

Valérie s'emporte.

– Il faut convaincre Vincent que la compétition est partout et qu'il n'y a de place que pour ceux qui se battent. L'échec de M. Viallet aurait dû au contraire lui servir d'exemple et l'inciter à foncer plutôt qu'à baisser les bras.

Étonnée par un tel propos, Martine regarde la jeune fille, qui pose sa tasse sur la table basse.

– C'est ainsi ! continue Valérie. En attendant de changer le monde, il faut s'y adapter ou crever !

Valérie ajoute qu'elle doit partir : le travail n'attend pas et les examens approchent. Elle a bon espoir d'être reçue, mais elle va devoir fournir un effort constant et très peu dormir.

– Après, c'est les vacances. Je pourrai récupérer.

Martine l'accompagne jusqu'à la porte. La liaison de Vincent lui fait mal. Elle se sent comme trompée par son fils, comme abandonnée pour une autre, même si elle sait que c'est une réaction de mère possessive. Et puis comment accepter qu'il soit tombé amoureux d'une caissière ? Ce soir, elle écrira à Urbain.

Elle s'assoit à son bureau, mais n'arrive pas à fixer son attention sur ses copies. Elle est lasse, elle pose ses lunettes, cherche son parapluie et sort. Dehors, le vent d'est qui s'est levé a rafraîchi l'air. Martine marche un moment au hasard de ces rues qu'elle connaît si bien, puis rentre chez elle. Vincent est là.

– Tu en fais une tête ! constate le jeune homme en l'embrassant.

– Vincent, il faut que je te parle...

– Eh bien, parle-moi.

– Il paraît que tu ne vas plus en classe. Que tu passes ton temps chez une fille, une caissière de supermarché.

Elle a appuyé sur les derniers mots.

– Et alors, qu'est-ce que ça peut foutre ?

– Ça peut foutre que tu ne travailles pas et que tu vas rater ton année. Et puis...

– Et puis quoi ?

– C'est pas une fille pour toi. Tu vas vite comprendre que tu t'es trompé.

– Pas une fille pour moi, mais qu'est-ce que t'en sais ?

– Parce qu'une caissière, enfin, réfléchis... Vous n'avez pas le même niveau scolaire. Avec elle, tu auras vite épuisé les sujets de conversation.

Vincent a rougi, touché au sensible de son être. Il s'approche de sa mère.

– Écoute, je suis assez grand pour prendre mes affaires en main. Alors si j'ai besoin de conseils, je viendrai t'en demander. Pour l'instant, c'est bien comme ça. Quant à mon année, je suis en train de me demander si ça sert à quelque chose de faire des études. Pour finir comme papa, c'est pas vraiment utile.

– Quand je te disais... Tu fais là un drôle de raisonnement. Tu es doué, Vincent, profites-en. Tu peux devenir quelqu'un de très fort.

– Et qu'est-ce que ça me rapportera ?

– De vivre bien, d'avoir de l'argent, de faire quelque chose qui te plaît, tu comprends, c'est mieux que de t'embêter toute ta vie dans un boulot sans intérêt. Il faut que tu arrêtes avec cette fille et que tu te remettes au travail.

– Que j'arrête ? Jamais !

Martine éclate en sanglots, c'est son ultime argument. Autrefois, Vincent se serait précipité pour la serrer dans ses bras et la consoler. Ce soir, il la regarde avec un air de mépris.

– Elle est en train de faire de mon fils un monstre ! crie Martine.

Il hausse les épaules, prend son blouson et sort sans un mot, fuyant les pleurs de sa mère qui ne le laissent pas insensible, mais il lui en veut de ce qu'elle vient de dire. C'est tout son amour pour Sylvaine qui se révolte.

Martine pleure un long moment. La tête posée sur ses copies, les larmes tombent sur le papier et font des taches bleues. Il faut qu'elle écrive à Urbain...

Elle cherche une feuille, mais les mots ne viennent pas. Finalement, elle se contente de deux ou trois phrases simples et impersonnelles : « Urbain, je me fais beaucoup de souci pour les garçons. Vincent vit avec une caissière et Julien veut quitter l'école pour chercher du travail. Il faut que tu leur parles. Martine. »

Ensuite, elle téléphone à Armelle. Armelle a une solution à tous les désespoirs. Sa bonne humeur, ses histoires incroyables, sa jeunesse, ses aventures amoureuses qu'elle ne vit que dans sa tête ont le don de chasser la tristesse. Martine pleurniche au téléphone en racontant ce qu'elle vient d'apprendre sur Vincent.

– Bon, j'arrive ! fait Armelle.

Quelques minutes plus tard, Armelle s'annonce à l'Interphone.

– Jean-Jacques a une réunion, dit-elle en entrant. Ma fille est chez sa grand-mère et je suis seule.

Armelle ne tient pas en place. Elle sourit en regardant le piano fermé, évoque le temps où Vincent faisait ses premières gammes en grognant car il n'aimait pas ça, mais c'était obligatoire : Urbain avait des principes !

– Bon, continue-t-elle en s'asseyant, on va faire la fête toutes les deux. Va chercher une bouteille de champagne.

Martine s'immobilise devant son amie. Quelle mouche l'a piquée ? Boire du champagne à cette heure, toutes les deux ? Il faut, pour cela, une occasion heureuse, quelque chose à fêter, un succès, une réussite.

– Oui, du champagne ! insiste Armelle, c'est très bon pour accompagner les conversations de deux femmes seules.

– Mais...

– Je sais que tu en as. Je l'ai vu l'autre jour. Alors, tu l'as bu seule ?

– Il ne sera pas frais.

– Bof, il ne fait pas très chaud. Va donc chercher une bouteille et deux flûtes.

– Tu es complètement folle !

– Ça, c'est vrai ! fait Armelle en riant. Mais c'est de cette folie que tu as besoin. Tu as vu ta tête ?

Martine revient avec la bouteille et les flûtes. Armelle fait sauter le bouchon, qui traverse la pièce.

– Il faut que je te dise, continue Armelle. J'ai revu Marc.

– Marc ?

– Tu sais bien, Marc Lemaître, mon premier grand amour... Je l'ai rencontré par hasard il y a quelques jours à la sortie du métro.

– Ah bon !

– Oui, je sais pas comment il a fait, mais la semaine dernière j'ai trouvé une lettre dans mon casier au collège et voilà, je lui ai répondu et on s'est revus.

Martine se demande si son amie n'est pas en train d'inventer cette histoire pour la distraire. Les yeux d'Armelle pétillent de malice et de rouerie.

– Mais pourquoi tu l'as revu ?

– C'est plus fort que nous. Un élan nous pousse l'un vers l'autre.

– Et ton mari... Qu'est-ce qu'il va dire ? Tu ne veux pas...

Elle éclate d'un rire clair et gai.

– Pauvre Martine, tu seras toujours la même. Mon mari n'en saura rien. Bien sûr que je ne veux pas le quitter. Ça n'empêche pas une petite passade ! Toi, c'est ce qui te manque. Un homme pour remplir ton cœur à ras bord, un homme pour te rendre heureuse et malheureuse à la fois, mais vivante.

Martine vide sa flûte, Armelle la remplit de nouveau.

– Je ne pourrais pas. Je suis restée sur le passé.

– Bois donc du champagne, l'ivresse est la meilleure conseillère dans ce cas.

Martine boit deux verres et se sent un peu mieux, comme libérée du poids qui l'accable. Elle demande :

– Tu crois qu'Urbain a trouvé quelqu'un ?

– Qu'est-ce que ça peut te faire ? Cesse de regarder derrière et tourne-toi vers l'avenir. Pense à toi !

– Et mes garçons...

– Tu parles comme si tu traînais un boulet. Casse la chaîne. C'est vrai, Vincent fait une bêtise, mais peut-être va-t-il la rattraper. Une année et même deux dans la vie, c'est rien quand tu en tires une leçon. Ce garçon se débrouillera toujours. Où en es-tu avec Jacques ?

– Nulle part. On se voit, on discute, on s'entend bien, mais ça ne va pas plus loin.

– Qu'est-ce que tu attends ? Il en rêve, lui, il m'en a parlé.

– Mais moi, je ne peux pas. C'est comme ça ! Ces choses-là ne se commandent pas.

– Bon, faut que j'y aille ! dit Armelle. Au fait, je reçois du monde à dîner samedi soir, viens donc, ça te distraira.

– J'ai pas envie. Je suis déjà invitée chez les Roger, mais je ne veux pas y aller. Je ne veux voir personne !

– C'est entendu, Jean-Jacques viendra te chercher.

Armelle embrasse Martine et s'en va. Il ne reste dans l'appartement que son léger parfum de violette. Sur la table basse, sa flûte de champagne qu'elle n'a pas bue brille d'une lumière précieuse. Martine voudrait avoir son caractère enjoué et insouciant, mais ne voit que le mauvais côté des choses. Ce soir, pourtant, le champagne a allumé un rayon de soleil dans sa tête.

Julien n'en peut plus. Des lames lacèrent sa peau. Il a mal au ventre, sa tête va éclater. Il trébuche à chaque pas. Ce soir, en cours, il a cru tomber de sa chaise. Il ne peut pas lire ni écrire ; ses mains tremblent. Il n'a qu'une seule pensée, une seule envie. Il est allé supplier Matthieu de le dépanner une nouvelle fois, mais celui qui se disait son ami a changé de ton.

– Moi, il me faut le pognon. File-moi six cents balles et je te trouve ça. Sinon, rien.

– Je te paierai la semaine prochaine. Aide-moi, tu vois comme je suis mal.

– La semaine prochaine ? Vous parlez tous pareil. Il faut savoir ce qu'on veut. Tu paies d'abord et je te sers. Moi, je veux pas d'histoires.

Julien supplie en pleurnichant comme un tout petit garçon ; il s'humilie, mais Matthieu ne veut rien entendre, alors, il menace.

– Je vais raconter ce que tu fais, je vais dire que tu sors la nuit...

L'autre le regarde de ses gros yeux. Ses étroites lèvres se pincent.

– Un conseil d'ami : t'avise pas à faire ça. Tu le paierais très cher. Les petits salauds qui balancent, on les prend à plusieurs dans une cave qu'on connaît en banlieue. Ils peuvent gueuler, personne ne les entend...

Julien s'éloigne, les larmes aux yeux. Il regrette maintenant de s'être laissé entraîner, d'avoir été trop faible pour dire non. Pourtant, avec un peu de volonté, il pourrait s'en sortir, mais comment imaginer se priver pour toujours d'un tel plaisir ? Quand la porte du paradis s'est ouverte, il est bien difficile de lui tourner le dos.

Le soir, Matthieu vient le trouver dans sa chambre.

– Tu me fais pitié. Je vais encore te dépanner, mais tu me devras six cents francs. Faudra te débrouiller pour les avoir le week-end prochain. En l'économisant, tu en as pour ta semaine.

Julien oublie ses scrupules et retrouve le sourire. Il a envie d'embrasser Matthieu. Ce petit paquet, c'est la vie pour lui, c'est la fin des questions sans réponse, c'est avoir envie de rire.

– Je te promets que je te paierai lundi matin.

Le samedi suivant, en arrivant à l'appartement, Julien embrasse sa mère et regarde discrètement où elle a posé son sac. Il attend qu'elle soit dans la cuisine pour dérober sa carte bleue. Il connaît le numéro, c'est donc facile. Il passe dans sa chambre en sifflant.

Le lendemain, il prend mille cinq cents francs au distributeur. La question de l'argent est momentanément résolue, mais elle reviendra bien vite. Alors, que faire ? Trouver du travail ! Oui, mais quoi et où ? C'est presque impossible. Il ne lui reste qu'à voler. Ce mot tourne dans sa tête et choque son sens moral. Voler ! Non, ce n'est pas possible. Julien n'est pas un mauvais garçon, il a le cœur sur la main et pleure au cinéma quand le film est triste. Il n'a pas vraiment volé sa mère, il lui a emprunté de l'argent et le rendra plus tard.

Quand il va payer Matthieu et acheter une nouvelle dose, le garçon lui dit :

– Tu l'as piqué à qui, ce pognon ?

Julien baisse la tête, honteux.

– À ma mère...

– C'est nul. Faut pas faire ça. Rappelle-toi : le renard va toujours voler les poules loin de son terrier. Bon, je te présenterai des copains... Ils te trouveront peut-être des petits boulots.

14

Urbain se familiarise lentement à son nouvel environnement. Sa chambre ne sent plus le renfermé, il l'aère régulièrement avec la conscience que ces petits gestes sont ceux qui, au quotidien, sauvent de la déchéance. Il découvre aussi, dans cette ville de province, que les gens sont chaleureux et prennent le temps de parler.

Jeanine, la patronne du Crapouillot, règne sur tout son monde avec une autorité qui ne se relâche jamais. Jeannot, le chef cuisinier, avec ses cent kilos, ne bronche pas plus que la jeune Stéphanie et Gaston qui font le service au restaurant. La cuisine de Jeannot est sobre, toujours excellente et parfois un peu lourde. À l'heure des repas, Jules fait le service au bistrot pendant que Jeanine accueille les clients et glapit ses ordres d'une voix brève et perçante. Au bout de quelques jours, la confiance venue, Urbain est admis parmi les habitués. Il est accepté à la table du personnel, avec Jules, Rachid et Armand Leroux dans une petite salle voisine de la cuisine. Rachid a environ cinquante ans. C'est un homme calme, aux cheveux gris. Ce Marocain rêve de passer sa retraite dans la villa qu'il a fait construire à côté d'Agadir et où il va chaque été en vacances. Avec sa voiture française, pendant un mois, il joue au riche parmi les siens.

– Tu comprends, dit-il à Urbain, là-bas, c'est le plus riche qui commande.

– Un videur de poubelles ! constate Armand Leroux.

– Un technicien du nettoyage, service voirie ! rectifie Rachid avec son sourire qui montre une incisive en métal.

Très vite, Urbain a de l'amitié pour cet Arabe sage et doux. Armand Leroux est un petit homme voûté d'une soixantaine d'années. Il porte toujours le même costume sombre, le même chapeau noir. Ses lunettes rondes sur son minuscule nez lui donnent l'air d'un professeur à la retraite. Pensionné à la suite d'un accident dont il ne parle jamais, il occupe son temps à la peinture.

– Je ne fais pas une peinture commerciale ! précise-t-il à Urbain. Je ne cède pas à la facilité des temps !

Urbain comprend que ce peintre amateur vit dans son monde avec la certitude de son grand talent. Jeanine lui a expliqué qu'il est seul depuis la mort de sa mère et préfère habiter ici plutôt que dans sa maison de Chamalières, beaucoup trop grande pour lui.

– Au moins, ici, précise Jeanine, il trouve des gens comme vous pour écouter ses boniments !

Urbain ne perd pas de temps, l'inactivité lui pèse. Il vend très facilement sa voiture qui est en excellent état et achète une petite Clio d'occasion qui suffit amplement pour ses déplacements. Maintenant, il n'a qu'une seule préoccupation : trouver du travail, sortir enfin de l'ornière. Il a déposé sa candidature dans plusieurs agences d'intérim, relève les petites annonces, écrit, se présente à plusieurs endroits, et le miracle se produit. Ce qui était impossible à Paris devient réalité à Clermont-Ferrand. Une société de négoce en conserves alimentaires cherche d'urgence quelqu'un pour gérer les stocks et faire un peu de comptabilité. Urbain accepte la proposition avec empressement, même si le salaire lui semble ridicule. Aussitôt, il s'achète un costume, plusieurs chemises et cravates. En faisant ces emplettes, il a l'impression de devenir quelqu'un d'autre. Il rentre Au Crapouillot en sifflotant.

Le matin, avant de se rendre à son bureau, il passe prendre un café chez Jeanine, qui ouvre de grands yeux en le voyant.

– Ah, monsieur Viallet, quel homme vous faites !

Elle est tout heureuse. Jeanine ne cache jamais ses sentiments et derrière ses coups de gueule, cette voix rude qui s'en prend aussi bien à Jeannot qu'à la jeune Stéphanie, se trouve un cœur d'or, cela, ils le savent tous.

Urbain boit rapidement son café et sort. Il fait beau ce matin et des oiseaux chantent sur les marronniers de la place.

Il se rend donc au siège de la société Demet, petite affaire familiale. Là, il est accueilli par Hugues Demet, un jeune homme précocement chauve, très maigre et grand, un peu voûté.

– Voilà, dit M. Demet, notre comptable est malade et il faut quand même que l'entreprise tourne. Venez, je vais vous présenter Arlette, avec qui vous allez travailler.

Arlette a une quarantaine d'années, de beaux yeux noirs pleins de lumière, des cheveux lisses qui rappellent un peu Martine. Cette ressemblance frappe un instant Urbain, qui n'en montre rien.

– Arlette travaille avec nous depuis plus de vingt ans, c'est dire qu'elle connaît tout de la maison.

Quand M. Demet est sorti, elle dit à Urbain :

– Ici, on est bien. On n'est pas beaucoup payé, mais si on travaille sérieusement, on fait partie de la famille. Tenez, quand mon mari est tombé malade, je n'avais rien puisque nous venions d'acheter notre pavillon. Hugues a pris à sa charge de l'envoyer à Neuilly, dans une clinique spécialisée. Hélas, ça n'a pas servi à grand-chose...

Son visage s'est fermé, elle a baissé les yeux derrière ses lunettes.

– Et maintenant, croyez-moi, tout le monde est attentif et me demande des nouvelles de Gaétan, mon fils qui a douze ans. Dans les coups durs, c'est toujours bon de ne pas se savoir seule.

En une matinée, Urbain comprend ce qu'on attend de lui. C'est un travail de routine, de la facturation, de contrôle quotidien des stocks, rien de compliqué, qui ne demande qu'un peu de méthode et du bon sens. Il s'étonne :

– Pourquoi vous n'informatisez pas cette gestion, ce serait un gain de temps !

Arlette sourit.

– Hugues y songe, mais son père ne voulait pas entendre parler de ces méthodes modernes !

Arlette travaille avec précision et minutie. Elle est très ordonnée et montre la disposition des dossiers dans les armoires. Hugues Demet vient dans la matinée, demande si tout va bien, Arlette lui adresse un sourire qui en dit long.

La journée passe vite. Urbain s'absorbe entièrement dans son travail et ne voit pas défiler les heures. À midi, il déjeune dans une brasserie voisine, puis retourne au bureau. Il retrouve cette sensation si nécessaire d'être utile, de servir à quelque chose, et oublie ses autres soucis.

Le soir, en rentrant, il repense à son ami, Serge Defranc. Le centre pour grands handicapés est à deux pas. Jusque-là, Urbain n'a pas encore osé y aller, mais, ce soir, tout est différent. Il s'y rend. Le hall est très éclairé, avec des grandes plantes vertes et une fausse fontaine. Il demande à voir Serge Defranc. À l'accueil, une femme en blouse blanche lui indique le numéro de la chambre. Il suit un couloir encombré de fauteuils roulants, arrive à la porte de son camarade, frappe. Une voix qu'il ne reconnaît pas lui répond. Il retient son souffle et entre.

L'homme qui est assis dans un fauteuil à côté du lit, bien calé par des coussins, n'a rien du jeune garçon qu'Urbain a connu, svelte, les cheveux au vent et toujours gai. C'est un vieillard, chauve, le visage large et mou, l'œil triste. Les bras posés sur des accoudoirs, il est sanglé au siège. Urbain hésite un moment avant de dire :

– Serge, mon ami !

L'autre fronce les sourcils. Ses lèvres molles s'animent. Ses sourcils s'abaissent.

– Monsieur... Nous nous connaissons ?

– Urbain Viallet, rappelle-toi, l'École de commerce à Toulouse, on y était ensemble.

Tout à coup le gros visage s'éclaire, la bouche sourit, les joues s'arrondissent.

– Urbain, bien sûr...

Puis les grosses paupières retombent sur le bleu un instant dévoilé de ces yeux qui plaisaient tant aux filles. Serge est totalement immobile, seule sa tête, son énorme tête posée sur un coussin bouge mollement.

– Voilà ce que je suis devenu ! dit-il d'une voix cassée. Je ne suis pas mort, c'est pire. Mais ne parlons pas de ça, qu'est-ce que tu fais ici ?

Urbain jette un regard rapide à la fenêtre. Derrière ces vitres, dans le parc, le soleil brille, des oiseaux se chamaillent sur un lilas couvert de feuilles tendres. Ici, il fait un froid de tombeau.

– Eh bien, j'ai travaillé pendant vingt-deux ans dans une grande société parisienne. Ma femme est prof de français, j'ai deux garçons. Et puis j'ai été licencié. J'ai décidé de commencer une nouvelle vie ici, à Clermont-Ferrand, en souvenir de notre jeunesse. Ma première visite, en arrivant, a été pour ta mère et ta sœur.

– Quand le malheur arrive, il ne manque pas d'imagination..., continue Serge. Pour moi tout allait bien. On avait monté une petite société de gestion et de conseil fiscal, avec Marc Ollpart. Marc, un peu gringalet et très brun, tu te souviens ? Et puis j'ai eu un accident de voiture. Ta visite me fait un grand plaisir. Je suis ici pour ne pas embarrasser ma sœur et ma mère, qui est cardiaque... Je me cache.

Urbain mesure la grande détresse qui se trouve derrière ces mots, le fardeau de vie que son ami porte au quotidien.

– Je ne peux même pas pisser seul. Il faut me faire manger. Le pire, c'est d'avoir gardé toute sa tête.

– Allez, ça va sûrement s'arranger ! fait Urbain en touchant la main de Serge, une main froide, molle. La médecine n'arrête pas ses progrès...

La porte s'ouvre et la sœur de Serge entre. Ici, en dehors de l'appartement aux murs couverts de tableaux, elle est méconnaissable. Ses cheveux noirs luisent à la lumière du jour et ses yeux bleus ont un superbe éclat. Elle embrasse Serge, salue Urbain avec un léger sourire qui plisse le coin de ses lèvres.

– Comment vas-tu, ce soir ? demande-t-elle à son frère.

– Ça va, et maman ?

La femme fait la moue.

– Tout juste. J'ai appelé le médecin. Il a dit que c'était comme d'habitude, mais on sait bien à quoi s'en tenir.

– On le sait, oui ! dit Serge.

Urbain se dirige vers la porte.

– Je vous laisse. Serge, sois assuré que je reviendrai te voir. On a encore plein de choses à se dire. Les souvenirs, c'est pas forcément mauvais pour le moral.

Il a dit n'importe quoi, mais comment parler autrement à un grand invalide ?

– Moi aussi, il faut que j'y aille ! dit la jeune femme, qui n'est pas restée plus de dix minutes.

Elle passe devant Urbain et tous les deux suivent le couloir vide. Leurs pas sonnent comme dans une église.

– Mon frère n'a plus envie de vivre ! dit-elle en se tournant tout à coup. Je le comprends. C'est difficile pour tout le monde, surtout pour maman.

– Son cœur ? fait Urbain.

– Son cœur et son moral. Pauvre maman qui n'avait pas besoin de ça. Heureusement que je suis là !

Elle baisse ses yeux. Urbain comprend qu'elle a envie de parler.

– Je peux vous inviter à prendre quelque chose avant de rentrer ? propose-t-il.

Elle se tourne vers lui ; ses yeux sont vraiment très beaux, pleins d'une lumière bleutée.

– Je croyais que vous étiez pressé ?

– Bof ! Je ne suis pas à cinq minutes.

– Moi non plus. Devant Serge, je ne sais pas quoi faire ni quoi dire. Les mots sont de trop, les gestes aussi. Alors, mes visites sont très courtes. Il le comprend bien.

Ils entrent dans un café. La nuit tombe lentement, une nuit de printemps plein du chant tardif des oiseaux. Sur un platane, une nuée d'étourneaux piaillent en voletant.

– Maman est une femme méritante. Mais quand le malheur commence à s'abattre sur une famille...

– Mais, reprend Urbain, c'est justement parce que le malheur s'est acharné sur vous qu'il faut vivre, essayer d'être heureuse. Ça le contrarie beaucoup, le malheur, de ne pas lui céder.

Elle hausse les épaules. Sa peau claire contraste avec ses cheveux très noirs.

– Faut que j'y aille, dit-elle. Maman va se demander ce que je fais. Je viens tous les deux jours, quelques minutes seulement, mais Serge sait qu'il n'est pas abandonné.

Elle se lève, passe devant Urbain, qui lui tient la porte. Ils se séparent sur le trottoir. En rentrant au Crapouillot, Urbain sait qu'il ne retournera jamais voir son ancien ami... Cette visite l'a remis en face de son angoisse et de la peur du lendemain qu'il avait oubliées durant cette première journée de travail. N'est-il pas un handicapé, lui aussi ? Bien sûr, il a trouvé un emploi, mais rien de bien intéressant. Et puis il s'ennuie, il regrette l'appartement du boulevard La Tour-Maubourg et les belles années qu'il y a vécues avec Martine et les garçons.

15

Indignée, blanche de colère, Martine replie la lettre d'Urbain qu'elle vient de recevoir. Comment peut-il oser donner raison à Vincent et à Julien ? Bien sûr, Urbain est loin et ne veut pas se faire de soucis pour ses enfants ! Au lieu de poser les véritables questions, de s'inquiéter comme elle et de proposer sinon des solutions, du moins une attitude à prendre, il parle de Jules et Jeanine, du Crapouillot, puis de son copain Serge Defranc : « Toute sa tête pour constater chaque jour sa déchéance. Toute sa tête pour se savoir vivant et appeler la mort à chaque instant. C'est terrible, il faut bien mettre en garde Vincent et Julien contre les dangers de la route... »

Martine lève les yeux vers le tableau du salon. Urbain l'a déniché aux puces et pense que c'est un Utrillo qui n'est pas signé. Son regard s'arrête un moment sur le grand meuble de la salle de séjour avec ses vitres biseautées, ses assiettes anciennes décorées de grandes fleurs bleues, ses plats d'étain. Elle relit la partie de la lettre qui concerne Vincent : « T'en fais pas, une année de perdue, ce n'est pas grave. Il vit sa première passion, faut que ça se fasse. Il s'en détachera tout seul tant il est vrai qu'un premier amour est forcément condamné à mourir... » Alors, Martine pense à Michel... Elle avait dix-sept ans. Que de disputes avec sa mère ! Et son père qui l'attendait au portail pour l'enfermer à la maison ! Elle voulait quitter ses parents, partir avec ce garçon, finalement, elle n'a rien fait. Mais, pour Vincent, c'est plus grave. Il n'écoute personne et a même menacé Lionel de « lui mettre son poing dans la gueule ». L'autre jour, il est arrivé à l'appartement et s'est planté devant sa mère.

– Maman, je crois, a-t-il dit, que je vais arrêter les études !

Martine a fait un bond puis s'est dressée, en face de son fils et l'a regardé dans les yeux.

– Qu'est-ce que tu dis là, Vincent ?

Avec l'effronterie de ceux qui sont persuadés d'avoir raison, Vincent s'est écrié :

– Je suis majeur, donc je fais ce que je veux.

Martine a explosé.

– Mais tu comprends pas que tu le regretteras toute ta vie ! Cette fille, c'est ton malheur !

Vincent fait un effort pour se contenir. Il dit d'une voix qui se veut calme :

– Écoute, maman, les études, ça va m'apporter quoi ?

L'ombre d'Urbain avachi dans le canapé s'est imposée en eux.

– J'ai assez perdu de temps comme ça !

À bout, Martine s'est mise à pleurer. Vincent, touché par les larmes de sa mère, a dit avec douceur :

– Je te promets que je vais finir cette année. Mais t'en fais pas pour moi. J'ai plein de projets et c'est mieux que tous les diplômes du monde. Tout a changé en peu de temps. À ton époque, les études te donnaient un emploi correct. Ce n'est plus vrai. Moi, je ne veux pas travailler pour une grande société, ni dans l'administration. Je veux créer ma boîte et pour ça, j'en sais assez. D'ailleurs, ma tête fonctionne bien, et ce que je ne sais pas, je l'apprendrai quand ça sera nécessaire.

– C'est cette fille qui t'a mis ça en tête ? Elle sait ce qu'elle fait !

Vincent recule ; son visage se contracte puis le sourire reprend le dessus, et il dit d'une voix pleine de douceur :

– Tu ne serais pas une mère si tu n'étais pas jalouse !

Il se dirige vers la porte, s'apprête à sortir puis se retourne.

– Tu sais, ce que je fais avec cette fille, ce n'est que normal à mon âge. Par contre, je me demande ce que bricole Julien...

Martine se dresse vivement.

– Julien ? Qu'est-ce que tu sais ?

– Rien, mais il n'est pas dans son assiette en ce moment. Tu devrais essayer de savoir ce qu'il trafique avec ses copains aux gueules de loubards du côté de Montparnasse.

– Dis-moi ce que tu sais ! fait Martine, mortifiée par cette nouvelle alarme.

– Rien, je te dis, sauf qu'il est bizarre !

En effet, Julien qui, jusque-là, restait tout les dimanches après-midi devant la télévision ne vient à l'appartement qu'aux heures des repas. Il sort le samedi soir avec ses copains pour, dit-il, « écouter de la musique dans un piano-bar » et rentre tard dans la nuit. Ce comportement nouveau aurait dû frapper Martine, mais depuis quelque temps elle est moins attentive ; les événements la dépassent et elle se laisse porter par eux, consciente que d'autres malheurs se préparent.

Elle voudrait disparaître, se dissoudre dans le néant. Hier, elle a déjeuné avec Jacques qu'elle voit de plus en plus souvent en dehors des heures de cours. Depuis que sa femme l'a quitté, il s'occupe beaucoup de sa fille qu'il prend chaque fin de semaine. Il espère vivre une autre histoire, dans un quotidien ordinaire, sans envie d'ailleurs, sans rêve inaccessible. C'est un homme simple, certainement trop simple pour qu'on ne s'ennuie pas avec lui.

– On s'habitue à tout ! a dit Jacques. J'ai appris à faire la cuisine et même j'y prends du plaisir. Je repasse le linge ; toutes les tâches ménagères me sont habituelles. Tu vois, je n'ai besoin de personne, je suis totalement autonome et pourtant...

– Pourtant quoi ?

– Pourtant, manger seul devant la télé, ce n'est pas marrant. Ma cuisine est fade, j'aimerais la faire pour quelqu'un. Et puis le silence d'un appartement n'est agréable qu'à deux.

Il a inspiré longuement et levé les yeux vers Martine.

– Tu sais, Martine, tous les deux, on pourrait peut-être...

Martine s'est contractée. Elle s'est dressée, sur la défensive, comme pour protéger quelque chose qu'elle ne veut partager avec personne.

– Jamais, Jacques ; jamais, tu entends !

Il baisse les yeux. Une petite contraction durcit le coin de ses lèvres.

– Je n'ai pas dit ça pour t'offenser ! souffle-t-il.

Non, il ne l'a pas offensée, mais la seule pensée qu'il pourrait promener ses mains sur sa peau, dormir dans le même lit qu'elle, lui donne la chair de poule. Depuis le départ d'Urbain, son corps est devenu sec et dur comme une racine. Sa peau n'a plus de sensations. L'idée qu'elle pourrait faire l'amour avec un autre homme lui retourne l'estomac.

Ce soir, elle presse le pas. Il est cinq heures de l'après-midi, le soleil est chaud, du trottoir monte cette odeur particulière des soirs de printemps à Paris. Un nuage d'averse passe devant le soleil et la rue de Rennes devient grise tout à coup. Elle regarde les numéros au-dessus des portes. Ce qu'elle va faire est complètement idiot, mais une force sourde la pousse. Sylvaine ne va sûrement pas lui ouvrir, et si Vincent est là, quelle attitude devra-t-elle prendre ? Elle attend que le tumulte se calme un peu dans sa poitrine puis elle se décide.

Elle arrive à la porte, cherche l'Interphone. Au milieu d'un grésillement, une voix déformée dit simplement : « Oui. » Martine bredouille :

– Je suis Martine Viallet...

Un silence, puis elle ajoute :

– La maman de Vincent.

– Montez, c'est au deuxième.

La porte se déverrouille et Martine monte l'escalier froid d'un pas mal assuré. Elle a l'impression d'être une femme qui va voir la maîtresse de son mari. Et pourtant...

Au deuxième, la porte du studio est ouverte. Sylvaine l'attend sur le palier. La jeune fille ne sourit pas, elle la regarde, grave et déterminée, prête au combat.

Martine ne sait plus quoi dire. Ces phrases qu'elle avait préparées à l'avance, elle n'en garde aucun souvenir. Voilà donc cette Sylvaine dont Vincent est tombé amoureux à en perdre la tête ! Martine avait imaginé une fille quelconque, un peu vulgaire, mais Sylvaine n'est rien de tout ça.

– Bonjour, madame ! fait la jeune fille d'une voix froide. Entrez.

Martine entre dans le studio. Son sac d'école pèse au bout de son bras droit. Elle s'attarde un instant à regarder ce petit intérieur, imagine Vincent dans ce fauteuil, en train de travailler à cette table de bois blanc. Enfin, elle se tourne vers Sylvaine.

– C'est mignon, chez vous !

– Trop petit ! tranche Sylvaine.

– J'ai pensé qu'il était de mon devoir de venir vous trouver...

Martine est toujours debout, près de la porte. Sylvaine, en face d'elle, le visage grave, attend, impassible.

– Vous comprenez, continue Martine, Vincent est un élève brillant, appelé à un bel avenir. Mais voilà, il faut qu'il travaille... Math sup., ce n'est pas rien. Il a encore quelques chances, mais pour ça...

– Ce n'est pas moi qui l'empêche de travailler ! dit Sylvaine d'une voix sèche.

– Je n'ai pas dit ça ! fait Martine, conciliante, en esquissant même un sourire. Mais j'ai besoin que vous m'aidiez.

– Ah bon ?

– Oui, en demandant à Vincent de ne pas rater ses cours. Il m'a annoncé qu'il voulait abandonner l'école. Ce serait une très grave erreur...

– C'est ce que je lui dis. D'ailleurs, il ne manque plus ses cours et il a repris le travail...

– Ah bon, dans ce cas, je vous remercie !

Martine se dirige vers la porte. Elle s'est humiliée pour rien devant cette fille qui l'a regardée de haut, cette caissière ! Elle court se cacher dans le métro.

Dimanche. Pour Martine commence le jour le plus long et le plus triste de la semaine. Les rues sont pleines de promeneurs, de couples, de familles entières qui profitent du soleil de mai. Martine est seule, Vincent est resté chez Sylvaine et Julien participe à un tournoi de tennis. Martine ne veut pas aller chez ses parents à Étampes. Elle espace ses visites sous n'importe quel prétexte. Sa mère ne cesse de rouspéter, de s'en prendre à Urbain, responsable de tous les malheurs.

– Et toi, qu'est-ce que tu vas devenir, hein ?

Cette question suffit à irriter Martine, qui en mesure bien la portée. Les soirées, longues déjà, cette lumière très haute dans le ciel augmentent le poids de sa solitude. Ce matin, elle avait l'intention d'écrire à Urbain, mais, encore une fois les mots ne viennent pas spontanément à son esprit et elle renonce. Jacques l'a invitée à déjeuner chez lui, mais elle a refusé. Depuis quelque temps, Jacques l'agace aussi avec son insistance mielleuse à se rapprocher d'elle.

Comme elle n'a pas la tête à son travail, elle fait le ménage, range, s'occupe les mains, tourne en rond. Vers onze heures, le téléphone sonne. Si c'était... Non, c'est Armelle.

– Écoute, je sais que tu es seule à midi. Viens donc déjeuner avec nous.

Martine accepte avec empressement. Chez Armelle, il y a de la bonne humeur, de la gaieté. Jean-Jacques connaît toujours une histoire pour rire et les derniers ragots du monde politique. Il est journaliste au *Quotidien de Paris*. Brillant, cultivé, un peu bohème, il s'entend tellement bien avec Armelle. Un couple parfait, comme on disait autrefois de Martine et d'Urbain.

Martine prend son temps pour se préparer. Cette invitation est bien banale, mais, pour elle, le moindre événement a souvent un aspect exceptionnel. Elle se lave les cheveux, choisit une robe, se regarde dans la grande glace et se trouve très moche. C'est fou ce qu'elle a pu maigrir en quelques mois ! Son choix se porte enfin sur un ensemble d'un vert foncé qui n'est pas de saison.

Le ciel s'est couvert. Il fait lourd, l'orage se prépare. Martine achète une fleur au coin de la rue de Tourville et se dirige chez Armelle à pied. Jean-Jacques l'accueille sur le palier, l'embrasse et la conduit au salon. La petite Carole commence à lui raconter sa semaine d'école. Armelle arrive de la cuisine ; avec son petit tablier blanc, elle ressemble à une gamine espiègle. Jean-Jacques sort les verres pour l'apéritif. La sonnette retentit.

– Ah, c'est les Lefort.

Paul et Irène Lefort sont les grands amis d'Armelle et de Jean-Jacques. Martine les connaît un peu ; Armelle lui a beaucoup parlé de leur petite handicapée. Irène, qui a dû beaucoup pleurer, a un visage flétri et triste. C'est une femme austère, aux lèvres fines, qui parle peu ; ses migraines la retiennent plusieurs jours par mois au lit. « Elle est chiante ! dit Armelle sans ménagement. Notre ami, c'est Paul, mais dans les relations de couple, il faut prendre les deux. » Paul est un grand et solide gaillard, toujours vêtu avec une certaine recherche. Il est ingénieur des Eaux et Forêts au ministère de l'Environnement.

C'est un passionné. Il raconte son combat en faveur des derniers phoques bretons. Martine remarque son visage carré et la douceur de ses yeux, ses cheveux gris, souples et abondants, ses lèvres sanguines avec un pli gourmand sous une moustache grise, son sourire gracieux, presque enfantin. Il est extrêmement bavard et passe d'un sujet à l'autre avec une facilité qui déconcerte.

Après le repas, on va faire un tour pour profiter du soleil qui est de nouveau sorti et tape fort sur les quais de la Seine. Martine décide de quitter ses amis au métro. Elle embrasse tout le monde, Paul en dernier. Quand sa joue touche la sienne, un léger frisson parcourt le creux de son dos et c'est agréable. Elle descend l'escalier en se disant que la solitude lui a tourné la tête.

À l'appartement, Martine pose son sac à main dans son bureau, regarde le téléphone où le voyant du répondeur clignote. Elle ne prend pas le temps de poser sa veste. Une voix rude, avec un fort accent du Midi, déformée par l'appareil, dit ces mots qui la terrassent : « Madame Viallet, ici le commissariat de police du XIVe arrondissement. Pouvez-vous nous rappeler d'urgence au... »

Elle reste un moment de marbre, se mord la lèvre inférieure, la main suspendue au-dessus du téléphone. Que lui veut le commissariat du XIVe ? Un pressentiment chemine dans son esprit. Les doigts tremblants, elle décroche le combiné et compose le numéro. Une autre voix qui n'est pas celle du répondeur précise :

– C'est à propos de votre fils, Julien, il est ici.

– Mais que se passe-t-il ? demande-t-elle. Il devait être à un tournoi de tennis...

– Il n'était pas à un tournoi de tennis. Nous l'avons pris avec quelques autres en train de voler des autoradios. Je vous attends.

– Des autoradios ? Mais pour quoi faire ?

– Pour les revendre. Nous parlerons de ça de vive voix.

– J'arrive ! murmure-t-elle.

Elle pose le combiné, complètement abasourdie. Julien, un voleur ! Mais pourquoi ? Cette question la hante comme si elle connaissait la réponse mais voulait encore une fois différer le dur moment de la vérité.

16

Martine va vers la porte-fenêtre, comme un papillon de nuit vers la lumière. Une vague froide progresse dans son corps. L'enfer s'ouvre devant elle, le monde a basculé vers l'horreur. Julien est au commissariat de police et s'est fait prendre pour vol... Julien lui a menti ; en disant qu'il restait à l'école pour aller à un tournoi de tennis, ce mensonge est aussi grave que le vol, sinon plus, car il cache une vérité inavouable.

Enfin, Martine se décide. Elle revient au téléphone et appelle son collègue Jacques.

– Jacques, fait-elle, très vite. Il faut que tu viennes avec moi. Julien est au commissariat de police et je n'ai pas la force d'y aller seule.

– Au commissariat ?

– Oui, il s'est fait prendre en train de voler un autoradio.

Un silence dans l'écouteur, puis :

– J'arrive. Je suis chez toi dans dix minutes.

Ces dix minutes semblent interminables. Vingt fois, Martine décroche le téléphone pour appeler Urbain et le repose avant la première sonnerie : il lui semble que ce serait une lâcheté. Leur séparation, qui n'était pas préméditée, a creusé entre eux un fossé qui lui semble désormais impossible à combler.

Jacques arrive avec un peu de retard. Il monte l'escalier en courant. Martine reconnaît son pas assez lent avec quelque chose de lourd et résigné. Elle l'attend sur le palier.

– J'ai mis un peu plus de temps ; ma fille a voulu que je la conduise chez sa mère.

Il embrasse Martine, qui sent les poils de sa barbe, des poils rugueux qu'on n'a pas envie de caresser.

– Alors, qu'est-ce qui se passe ?

– Julien a volé un autoradio et s'est fait prendre.

– Mais pourquoi ? Tu ne lui donnes pas d'argent ?

– Si, je lui en donne et il m'en vole. Je ne sais pas ce que ça cache, mais il lui en faut de plus en plus.

Jacques a compris la vague allusion de Martine et n'insiste pas.

– On y va ! dit-il. Il y a peu de monde dans les rues ; on y sera dans cinq minutes.

Martine redoute cette confrontation avec son fils aux mains des policiers. Elle va vers son propre échec, sa culpabilité.

– T'en fais pas, dit Jacques pour tenter de lui redonner un peu de courage, c'est des petites conneries qu'on fait à dix-huit ans. Après tout s'arrange et on rentre dans le rang. Il faut bien se prouver qu'on existe !

Il se gare à proximité du commissariat. Martine appréhende tellement d'entrer dans ce bâtiment austère que, sans le bras de Jacques qui la soutient, elle ferait demi-tour.

Un policier les accueille. Jacques parle le premier, explique les raisons de leur présence. L'homme leur dit de le suivre. Ils empruntent un couloir sinistre, traversent une pièce où d'autres policiers bavardent avec des civils. Ils arrivent à un local minuscule où un homme assez gros est assis derrière un bureau envahi de dossiers. Il aurait une tête sympathique partout ailleurs que dans cet endroit austère.

– Les parents de Viallet, dit l'agent.

– Allez le chercher, fait l'homme en montrant deux chaises à Martine et à Jacques.

L'agent s'éloigne. Martine baisse la tête, écrasée de honte.

– Voilà, dit le commissaire, votre garnement s'est fait prendre en train de fracturer la portière d'une voiture pour voler ce qui se trouvait à l'intérieur, sûrement l'autoradio, c'est ce qui se vend le mieux.

– Se vendre ? ose Martine. Mais je lui donne de l'argent.

L'homme lève ses gros yeux noirs sur Martine.

– Mais, madame, dans le cas de votre fils, il faut beaucoup d'argent.

Elle ne pose pas de questions, toujours tenue par cette peur de la vérité. Ne pas la connaître l'occulte et repousse la chute dans l'abîme.

Enfin, l'agent arrive. Julien marche à côté de lui, la tête haute, avec dans le regard cet air de défi, de frondeur, qu'il adoptait quand son père le réprimandait. Martine remarque tout de suite, brillant à ses poignets, les bracelets métalliques des menottes. Sa mèche a roulé devant ses yeux. Quand il voit sa mère, il marque un temps d'arrêt et perd sa superbe. Ses joues se colorent.

– Julien..., murmure Martine d'une voix faible.

Des larmes pleines de lumière roulent sur ses joues, des larmes silencieuses, celles qui font le plus mal.

– Julien ! répète-t-elle d'une voix à peine audible.

Debout, le commissaire est beaucoup plus grand et costaud qu'il ne paraissait assis. Il se dirige vers Julien, qui le regarde avec des yeux de chat, prêt à griffer, retrousse la manche droite de l'adolescent jusqu'à la saignée du coude. Là, sur la veine bleue, se trouvent des petits points rouges, les traces des piqûres. Martine comprend aussitôt.

– Il avait trois grammes d'héroïne sur lui ! dit l'homme d'une voix grave.

– Ce n'était pas pour moi ! fait Julien, agressif.

– Un petit toxico obligé de voler pour se procurer sa dose, voilà ce qu'il est ! poursuit le policier.

Martine ne peut plus parler. Une boule de glace oppresse son cœur. Ses lèvres bougent. Tout à coup, elle se détend comme un diable hors de sa boîte, se rue sur Julien qu'elle secoue par les épaules avec des rugissements de bête enragée.

Elle crie :

– Julien, comment tu as pu faire ça ?

Il ne répond pas, se laisse secouer sans résistance. Sa mèche vole autour de sa figure maigre. Il baisse toujours les yeux.

– Julien, mon petit, tu ne comprends pas que tu es en train de te détruire, de te suicider, de...

Elle ne trouve pas d'autres mots. Jacques intervient.

– Martine, je t'en prie. Calme-toi.

Non, elle ne se calme pas, il faut qu'elle libère sa colère, ces heures de contrariété, d'attente, il faut qu'éclate cette immense déception qui l'étouffe. Cela faisait trop longtemps qu'elle comprimait sa révolte, ce besoin de mordre. Alors, elle frappe Julien, qui tente de se protéger en soulevant ses mains où brillent les poignets des menottes. Le policier assiste à la scène sans broncher. Tout à coup, Julien qui n'en peut plus, s'écrie :

– Maman, je te jure que je vais arrêter !

– Tu vas arrêter ? Comment je pourrais te faire confiance, maintenant ? Tu ne cesses de me mentir et tout ça pour en arriver là ?

– Je te jure que je vais arrêter !

À bout de souffle et de forces, Martine s'effondre dans les bras de Jacques, qui l'aide à s'asseoir. Le commissaire fait signe à l'agent d'emmener Julien.

– Je te jure, maman ! répète encore l'adolescent, tandis que l'autre le pousse vers la porte.

Hébétée, Martine s'essuie le visage, les épaules soulevées de sanglots. Jacques, avec beaucoup de douceur, lui prend la main qu'il tapote du bout des doigts.

– Martine, calme-toi.

– Bon, dit le commissaire en se tournant vers Jacques. Il est majeur, donc responsable. C'est la première fois qu'il fait une bêtise. Bien entouré, il peut se tirer d'affaire. Il ne se drogue pas depuis longtemps ; avec un peu de volonté, tout est possible. Je vais le garder un peu pour l'impressionner. Après, je vous le rendrai.

– Il avait l'air sincère, ose Jacques.

– Il l'était, comme ils le sont tous quand ils voient pleurer leur mère, mais ça ne dure pas bien longtemps.

L'homme se lève et se dirige vers la porte. Jacques prend Martine par le bras et l'aide à se mettre debout. Les cheveux défaits, le visage rouge, elle sanglote toujours. Arrivés boulevard La Tour-Maubourg, il lui demande :

– Tu veux que je reste avec toi, ce soir ?

– Non, j'ai besoin d'être seule.

Elle claque la portière sans dire merci à celui qui l'a si bien soutenue dans ce moment difficile. Elle doit écrire à Urbain, mais n'y arrive pas. La vérité a du mal à s'imposer à son esprit : Julien se drogue ! La honte l'étouffe car, au fond, si ce garçon est ainsi, ce n'est pas par hasard, c'est à cause de ses parents, d'elle et d'Urbain, qui n'ont pas su l'écouter. Maintenant, comment le sortir de là ?

Martine est fatiguée, lasse de tout. Elle n'a pas faim et s'assoit sur le canapé. Le silence tiède de l'appartement la ramène aux printemps précédents. On pensait aux vacances ; les cris des martinets venaient par les fenêtres ouvertes, l'odeur sirupeuse des marronniers en fleur flottait dans les rues...

Vincent ne viendra pas ce soir, Vincent n'est plus d'ici, il ne fait que de brefs passages pour s'assurer que sa mère va bien. Ce soir, Martine a envie de mourir.

Elle essaie de ne plus penser en regardant la télévision, mais la pensée de Julien avec ces sordides menottes qui brillaient à ses poignets ne la quitte pas.

Elle passe dans sa chambre. Allongée sur son lit, elle reste de longues heures, les yeux ouverts, à tourner toujours les mêmes choses dans sa tête qui lui fait mal.

Le lendemain matin, elle tente vainement de cacher sur son visage les marques de l'insomnie et les boursouflures de ses pleurs. Jacques l'attend à l'entrée du collège. Cette sollicitude, qui se veut la marque d'un lien plus poussé que celui de deux collègues ordinaires, l'agace et elle retient un mouvement d'humeur.

– Ça va ? demande-t-il d'une voix amicale.

– Ça va ! répond Martine, qui ne veut pas s'isoler avec lui.

Elle rejoint Armelle.

Le soir même, un fourgon de la police s'arrête devant l'immeuble, Julien en sort, libre. Le jeune garçon, les mains dans les poches, attend l'ascenseur comme s'il rentrait de l'école. À l'appartement, sa mère, qui tente en vain de corriger ses copies, lève les yeux sur lui.

– Ah, c'est toi ? Ils t'ont relâché ? demande-t-elle d'une voix qui se veut indifférente.

Julien ne répond pas. Il va dans sa chambre et ferme la porte derrière lui. Martine est atterrée : il n'est même pas venu l'embrasser ! Elle retient un mouvement de colère et le rejoint. Julien est allongé sur son lit.

– Tu rentres sans un mot, sans dire bonjour, sans rien, comme si tout allait bien.

– Mais tout va bien ! dit le garçon d'une voix sûre.

– Ah, tout va bien ? Après ce qui s'est passé ! Je me fais un souci monstre et tu trouves que tout va bien !

– Maman, je t'en prie, arrête de parler de toi !

– Peux-tu m'expliquer ce que tu vas faire ?

– Chercher du travail. Je veux quitter l'école, ça, je te l'ai déjà dit.

– Tu en as parlé à ton père ?

Julien se dresse sur un coude et se tourne vers sa mère.

– Non.

– Tu ferais bien de lui en parler ; je ne suis pas sûre qu'il sera de ton avis. Et puis qu'est-ce que tu sais faire ?

– Rien, vous me l'avez assez dit, papa et toi. Maintenant, laisse-moi, je t'en prie.

Il a monté le ton et Martine y a senti comme une menace qui la glace jusqu'aux os. La drogue a transformé son fils en monstre ! Alors, elle s'agenouille près du lit et le serre fort dans ses bras.

– Mon petit Julien ! dit-elle. Si je te parle comme ça, c'est que je suis malheureuse. Je t'aime tant... Je voudrais t'aider.

Il a un moment de flottement, d'hésitation, puis passe son bras sur l'épaule de sa mère et la garde serrée contre lui.

– Je te jure que je vais arrêter !

– Tu veux qu'on aille voir le docteur Juret ? Il te donnera quelque chose pour supporter le manque.

– Non, je me débrouillerai seul. J'ai décidé d'arrêter et j'arrêterai. C'est l'enfer. Pour mon père, je te demande d'attendre que ça aille mieux avant de lui parler de tout ça. D'ailleurs, je préfère le faire moi-même.

– J'aime t'entendre parler comme ça, mon petit Julien !

– Je vais rester quelques jours ici, sans sortir. Les flics m'ont dit qu'en une semaine je pouvais me tirer d'affaire.

– Je ne te demande pas comment tu en es arrivé là, je te demande seulement de t'en sortir et je serai la plus heureuse des mères.

Le lendemain matin, Julien dort encore quand Martine part au collège. Elle ne le réveille pas et sort en évitant de faire du bruit. Elle est presque heureuse. Cette menace qu'elle sentait les autres jours a disparu. Julien est à la maison, donc il ne fait pas de bêtises et il était sincère, hier, dans son intention d'arrêter de se droguer.

Quand il s'éveille, le jeune homme se dresse sur les coudes, regarde autour de lui, comme s'il découvrait cette chambre, l'ailleurs a pris tant de place en lui. Il a froid et sait ce que cela veut dire. Il ne s'est pas drogué depuis deux jours et son esprit est tendu vers une seule pensée, une seule envie, trouver de la poudre, mais il doit résister à ce vide qui se creuse en lui, cette chair de poule qui hérisse sa peau, cette envie pressante de courir au studio de Matthieu. Tenir trois jours encore, voilà le prix à payer pour survivre, trois jours de feu, de douleur intense, trois jours de tentation. Une semaine sans drogue et il sera sauvé, mais une semaine, c'est déjà l'éternité !

L'adolescent se lève et va sous la douche, se lave méthodiquement, comme pour se débarrasser des souillures du passé, comme s'il changeait de peau. À la cuisine, il fait chauffer du lait, se prépare deux grosses tartines de beurre et de confiture. Manger trompera peut-être l'autre fringale, celle qui le hante. Déjà, il n'est plus tellement sûr de sa résolution. C'est si facile : un peu d'argent et direction Montparnasse.

– Faut que je quitte Paris ! dit-il à haute voix en pensant à son père.

Il pose la tartine sur la table, à côté du bol fumant. Son estomac est noué, incapable d'accepter la moindre nourriture. Des brûlures parcourent ses membres, serpentent sous sa peau ; son corps tout entier est pétri de douleurs. Comment tenir trois jours dans un tel enfer ?

Il sort de la cuisine et fouille les poches de son blouson posé sur le dossier d'une chaise. Au commissariat, on lui a laissé une seringue neuve à cause du sida. Le contact avec l'emballage est agréable aux doigts. Il l'observe, c'est un bel objet, avec l'aiguille pleine de lumière, les graduations, un objet qui le terrorisait, autrefois...

Pour ne pas penser, il se force à regarder la télévision, cherche un film dans le placard du magnétoscope, mais ne trouve rien qui l'intéresse. Ses regards ne cessent d'aller à la porte fermée. Derrière, au bas de l'escalier, se trouvent le métro et tout ce qu'il faut pour plonger dans un bonheur parfait.

À midi, Martine arrive et constate que Julien a tenu bon, malgré sa grande pâleur et les tremblements qui animent par moments son menton.

– Tu veux que j'appelle le médecin ? demande-t-elle une nouvelle fois.

– Non. Je me débrouillerai seul. J'en ai la force.

Ce langage, nouveau chez Julien, plaît à Martine. Elle a tellement envie de croire qu'il a pris de la raison, qu'il est devenu adulte et que ses bêtises font désormais partie du passé !

– Cet après-midi, j'ai un conseil de classe. Je ne serai pas rentrée avant six heures, dit-elle.

– Ça n'a aucune importance.

Julien mange très peu. Il boit deux verres de lait puis va s'asseoir devant la télévision. En partant, Martine demande s'il veut qu'elle lui rapporte quelque chose. Non, l'adolescent n'a besoin de rien. Il avait pensé demander à sa mère de l'enfermer à double tour et d'emporter la clef, mais il serre les lèvres et se tait.

Le ciel est bleu, de ce bleu un peu pâle du ciel parisien. De la fenêtre ouverte viennent les bruits de la rue, voitures, appels, rires. Les pigeons roucoulent sur le trottoir près du banc de Mirette. Mirette, c'est le surnom que Vincent et lui avaient donné à une vieille femme qui s'asseyait là chaque après-midi pour distribuer du pain aux oiseaux. Mirette vient encore et elle a toujours le même âge.

Julien voudrait prendre un somnifère et plonger dans un sommeil vide pendant plusieurs jours. Le tiroir du placard où sa mère range l'argent de la semaine est entrouvert. Cela rappelle à l'adolescent une série de pièces anciennes que son père avait achetées dans une brocante. Sont-elles encore dans ce tiroir ? Ses doigts déplacent une pile d'enveloppes. Dans l'une d'elles, il compte quatre billets de deux cents francs. Le prix d'un peu de tranquillité. Non, il ne peut pas voler ces billets ! Il va dans sa chambre, cherche ses albums de timbres, une lubie d'enfance. La collection a un peu de valeur : son père qui croyait, par ce biais, l'intéresser à différentes matières scolaires n'avait pas lésiné sur la dépense. Julien tourne les pages des trois albums. Jusque-là, vendre ses timbres aurait été un sacrilège, mais aujourd'hui... Il en tirera bien deux mille francs et sa mère ne saura jamais qu'il a rechuté puisque personne ne pense plus aux timbres. Oui, il va se piquer une toute dernière fois, connaître de nouveau cette extase du corps tout entier avant d'arrêter définitivement, c'est juré ! D'ailleurs, comment pourrait-il continuer puisqu'il n'aura plus rien à vendre ?

Le magasin de philatélie qu'il avait fréquenté en d'autres temps n'est pas loin, rue Saint-Dominique. La vente dure un instant ; le voilà avec deux mille francs en poche et le sentiment d'avoir bradé une chose dont la valeur allait au-delà de l'argent que son père avait dépensé pour la constituer.

Il court au métro, mais ce n'est plus lui qui court, c'est l'autre Julien, le diabolique, l'insoumis. À Montparnasse, il traverse la place remplie à cette heure de groupes d'étudiants, de touristes et de marginaux. Il sait où aller. Près de la fontaine, Bullot, un ami de

Matthieu, fait le piquet en regardant fréquemment sa montre comme s'il attendait quelqu'un. En passant, Julien lui fait un signe de la tête et l'autre le suit. À l'entrée du parking, il s'arrête, refait le lacet de sa chaussure. Bullot arrive à sa hauteur.

– Deuxième étage, allée C, place 256, dit-il sans s'arrêter.

Julien cherche la place indiquée. Une 205 y est garée. Sans hésiter, il ouvre la portière, côté passager. Au volant se tient un jeune homme qui ne tourne même pas la tête. Sans un mot, il tend la main ; Julien y dépose trois billets de deux cents francs. L'autre les compte du bout des doigts et lui remet un petit paquet que Julien glisse dans sa poche. Ça n'a pas duré une minute.

Il court chez lui. Pourquoi se piquer ailleurs ? Là, il sera seul et quand sa mère rentrera, vers six heures, tout sera rentré dans l'ordre. Il arrive, essoufflé, sort précipitamment la seringue de son emballage et une ampoule d'eau stérile que Matthieu accepte toujours de lui fournir gratuitement. L'impatience pendant la préparation est déjà du plaisir, la petite douleur de l'aiguille qui pénètre à la saignée du bras lui fait pousser un gémissement de bonheur. Enfin, le paradis s'ouvre devant lui. Il s'allonge sur le canapé, la tête dans les nuages, repu. L'ivresse le submerge par vagues chaudes.

Une clef tourne dans la serrure de la porte d'entrée. Il ne bouge pas ; la seringue est restée sur la table. Vincent entre et comprend vite. Ses soupçons étaient donc fondés et pourtant, là, devant cette preuve, il doute encore tant la chose lui paraît énorme. Julien, qui s'est assis, le regarde à travers le nuage qui voile sa vue. Enfin, Vincent fait un pas vers lui.

– Pauvre mec, dit-il d'une voix pleine de colère. Pauvre mec !

Ces mots résonnent dans la tête de Julien comme une volée de cloches. Vincent le prend par le col de la chemise, d'une main ferme, solide, une main d'adulte, et l'oblige à se lever.

– Fiche-moi la paix ! crie Julien.

– La paix ? Non, je vais te casser la gueule pour que tu comprennes que tes conneries, ça suffit !

– Fiche-moi la paix, je te dis !

Alors Vincent se déchaîne ; son poing dur frappe la face de l'adolescent, qui émet un petit gémissement, prend son élan et frappe de nouveau. Julien tente de se protéger avec ses bras maigres, trop longs pour bien parer les coups. Il roule sur le tapis, son frère lui donne de grands coups de pied dans les côtes avec une rage qui contracte son visage.

Martine arrive, elle n'avait pas de réunion, c'était un mensonge pour surprendre Julien.

– Arrêtez ! Vincent, qu'est-ce qui te prend ?

Vincent, rouge, lâche son frère.

– C'est une merde !

Julien pleurniche sur le tapis, lamentable, sa mèche sur la figure. Martine l'aide à se lever. Un peu de sang coule de son arcade sourcilière meurtrie.

– Vincent, regarde ce que tu as fait ! s'écrie Martine.

– J'ai pas tapé assez fort !

Les deux frères ne se sont jamais entendus. Enfants, ils se disputaient pour un rien, mais, depuis qu'ils sont grands, ils évitent d'en venir aux mains. Martine aperçoit la seringue et comprend.

– Julien, fait-elle. Tu as encore... Et ta promesse ?

– Je veux partir ! dit Julien entre deux sanglots. Je veux rejoindre papa à Clermont-Ferrand.

17

C'est par l'intermédiaire d'Arlette Duraut qu'Urbain trouve son appartement, un petit deux-pièces dans le quartier Saint-Jacques.

Chez Demet, Arlette est plus qu'une employée ordinaire. Hugues la consulte souvent. C'est une confidente, une amie qui sait tout et ne dit que ce qui peut se répéter.

Parfois, le midi, Urbain va déjeuner avec elle. Arlette attire la confiance par sa manière de parler franchement, par son sourire, son air de continuelle bonne humeur. Elle a un côté maternel qui dissipe toute ambiguïté et Urbain se confie naturellement à elle.

– La vie n'était plus possible à Paris, et maintenant je m'ennuie.

C'est la première fois qu'il parle de cet ennui de son appartement parisien, de sa tanière, et du passé avec ses habitudes qui rassuraient. Les repas du samedi soir lui manquent même s'ils se terminaient souvent en disputes. Ici, il ne sait pas où il va et comprend bien que la fuite n'a rien arrangé. Il se cache à Clermont-Ferrand, voilà la vérité.

Au Crapouillot, quand Jeanine apprend qu'il va quitter sa chambre, un typhon s'abat sur le bar et les cuisines. Elle pousse des cris, lève les bras au ciel dans un mouvement de désespoir intense. Urbain regrette un moment d'avoir déclenché de tels débordements. Enfin, elle finit par se calmer et, la voix pleine d'émotion, demande :

– Comment, monsieur Viallet, vous n'êtes pas bien chez moi ?

– Si, mais je veux plus de place pour recevoir mes fils.

Jeanine a un profond respect pour la famille.

– Dans ce cas, je n'ajoute rien !

Le lendemain, Urbain va visiter les salles des ventes pour trouver des meubles à bon prix. À chercher, à estimer la valeur de vieux objets, il oublie un moment sa condition précaire, mais, comme il ne trouve rien d'intéressant, il regrette une fois de plus Paris, ses puces, ses brocantes et se résigne enfin à acheter des meubles modernes bon marché.

Chaque soir, il reste tard au bureau. C'est une habitude d'ancien cadre et pourtant il étouffe au milieu de ses dossiers. Heureusement, Arlette est là, toujours pleine d'attentions, simple dans ses jugements, simple dans sa tête. Souvent, Gaétan rejoint sa mère après les cours. Urbain aime bien ce jeune garçon qui lui rappelle Julien.

Arlette s'absente les deux dernières semaines de mai. Elle explique à Urbain qu'elle ne peut pas prendre ses vacances en été, époque de grande activité.

– Ne vous en faites pas, ajoute-t-elle. Vous ne serez pas seul, une intérimaire va me remplacer.

Celle-ci arrive le lundi matin en compagnie de M. Demet, qui la présente à Urbain.

– Mme Sophie Lartigues. Elle connaît le travail puisqu'elle a déjà occupé ce poste l'année dernière.

Urbain la salue et la regarde discrètement tandis qu'elle bavarde avec M. Demet. C'est assurément une belle femme avec ses joues creuses, sans rides, ses cheveux d'un beau roux lumineux, très frisés, ses grands yeux bleus.

Sophie Lartigues s'assoit à la place d'Arlette et Urbain se met dans ses comptes. À midi, il va déjeuner, comme tous les jours, dans la brasserie voisine. Il est seul à une table quand l'intérimaire entre, aperçoit Urbain qui l'invite à s'asseoir en face de lui. Elle porte un pantalon clair et une petite veste sombre, très cintrée. Ses cheveux abondants encadrent son petit visage. De près, ses yeux sont moins bleus. Des paillettes gris et vert augmentent l'intensité de ce regard qu'Urbain ne peut soutenir.

– Merci ! dit-elle.

Elle a baissé la tête ; son front s'est plissé de petites rides.

Pendant le repas, pour cacher son trouble et se donner de l'importance, Urbain raconte sa vie, ses hautes fonctions à la SIMA et son arrivée à Clermont-Ferrand. Elle l'écoute en silence puis parle à son tour.

– Eh bien, moi, j'ai vécu jusqu'à une date assez récente sans le moindre problème : mon mari est médecin. Puis nous nous sommes séparés. Ça n'allait plus... Et me voilà à faire de l'intérim...

– Vous avez des enfants ?

– Non, c'est le grand regret de ma vie et c'est probablement ce qui est à l'origine de la séparation avec mon mari.

Le déjeuner passe très vite. Ils retournent ensemble au travail. Malgré lui, Urbain est attiré par cette belle femme, seule comme lui. Sa présence dans les locaux austères de l'entreprise Demet lui fait oublier le côté fastidieux de son travail. Le soir, il décide d'aller dîner Au Crapouillot. Jeanine l'accueille avec un regard plein de soupçons.

– Vous, vous n'avez pas votre tête habituelle !

– Ah bon ?

– Oui, et je m'y connais en physionomies...

Les deux semaines suivantes passent très vite. Urbain ne s'ennuie plus au bureau, il attend avec impatience l'heure du déjeuner où il rejoint Sophie dans la brasserie. Près d'elle, il se sent bien, il redevient quelqu'un et se réhabilite à ses propres yeux. Le dernier vendredi, il lui dit au revoir avant de rentrer chez lui. Elle lui tend sa main minuscule aux doigts longs et sans bague.

– À bientôt ! dit-elle.

Il s'en va dîner Au Crapouillot. Jules l'accueille avec un grand sourire qui découvre ses dents noircies par le tabac. Urbain passe à la cuisine, salue Jeannot, la jeune Stéphanie qu'il embrasse sur les deux joues. Jeanine le réprimande.

– Et vous aviez dit que vous viendriez tous les jours ! Voilà une semaine qu'on ne vous a pas vu !

– C'est que je n'ai pas eu le temps !

– N'essayez pas de me monter le coup ! tonne Jeanine.

Le jour n'en finit pas. Le soleil allume très haut dans le ciel des tentures ocre et bleu. Une étoile encore faible perce cette légère draperie. Des chauves-souris volent à hauteur des toitures.

À la fin du repas, M. Leroux fait un signe discret à Urbain.

– Je voudrais vous montrer quelque chose ! lui souffle-t-il à l'oreille.

Intrigué, Urbain suit le peintre dans sa chambre envahie de toiles, de palettes couvertes de peinture sèche, de tubes. Un fouillis de dessins jonche le lit. Un chevalet dont Urbain, en connaisseur, admire le bois sculpté se trouve près de la fenêtre. Le peintre ôte le tissu qui cache la toile. Urbain pousse un cri d'admiration. Le tableau représente un champ de coquelicots d'un rouge violent, avec, en contrepoint, peint en couleurs très légères qui semblent ne pas toucher la toile, le visage superbe d'une jeune fille.

– Ça vous plaît ?

– C'est magnifique ! dit Urbain avec émotion, et ce visage...

– Vous l'avez reconnu ?

– En effet, c'est la petite Stéphanie !

– Oui, je l'ai peinte de mémoire. Avez-vous remarqué la pureté de ses traits, la perfection de son visage. Sa timidité qui lui fait baisser ses yeux superbes contribue à la rendre encore plus délicate.

– C'est vraiment beau ! redit Urbain, à court de mots.

– Eh bien, il est à vous, je vous le donne !

Urbain hésite un moment puis ajoute :

– M. Leroux, vous me vexeriez de ne pas me laisser le payer.

– Certainement pas ! fait l'artiste. L'argent gâterait la lumière de cette *Jeune Fille aux coquelicots.*

Ce cadeau comble Urbain. Une chose est certaine, M. Leroux a du talent et le cache jalousement dans cette chambre qui sent le vieux drap et l'essence où trempent des pinceaux sales. Urbain s'imagine alors marchand d'art avec une galerie de peinture, d'objets précieux, de meubles de style, son vieux rêve rangé lui aussi au débarras...

Il emporte le tableau chez lui et l'accroche au-dessus de son canapé, en face de la fenêtre. La lumière du jour finissant éclaire le visage de la jeune fille si présent, si vivant qu'on croirait le voir bouger.

– Avec ce tableau, dit Urbain à haute voix, on ne peut pas se sentir seul.

Le téléphone le tire de sa rêverie. Il était en train d'imaginer qu'il pourrait inviter Sophie pour lui montrer cette merveille. Il décroche.

– Allô, papa... C'est Julien.

Son visage s'éclaire d'un grand sourire.

– Julien, comme je suis content de t'entendre.

– Voilà, je viens chez toi.

Un silence. Urbain ne comprend pas et fronce les sourcils.

– Comment ? Tu dis que tu viens me voir ? Alors, je suis très heureux.

– Non, je viens vivre à Clermont-Ferrand avec toi !

– Mais enfin, Julien, c'est impossible. Et l'école, tu ne penses pas à l'école ?

– Je ne veux plus aller à l'école je veux apprendre un métier.

– Quoi ?

Un métier ? Un métier manuel, voilà ce que Julien veut dire ! C'est tellement inattendu qu'Urbain reste sans arguments.

– Je veux aller en apprentissage. Plein de choses m'intéressent, le bois en particulier, et puis je veux quitter Paris, je veux vivre en province.

– Mais tu comprends bien que c'est impossible !

Martine prend le téléphone.

– Allô ! Urbain ? Pourquoi c'est impossible ? Il faut que tu prennes Julien avec toi.

Elle a crié, d'une voix pleine d'exaspération.

– Martine, je...

– Il le faut, Urbain. Je t'en supplie, accepte !

– Bon !

Il n'insiste pas, même si l'arrivée du jeune homme remet tout en cause. Comment concilier un rôle de père avec toutes les contradictions de sa nouvelle vie ? Les anciens fantômes vont de nouveau le tourmenter. Il les avait fuis et voilà que Julien les ramène.

– Bah ! on verra bien ! dit-il en regardant la *Jeune Fille aux coquelicots,* et il sort marcher dans les rues en pente autour de la cathédrale pour le simple plaisir de respirer l'air doux du printemps.

18

Ce soir, Martine est fatiguée. Une barrière invisible la retient, un filet l'emprisonne. Chaque jour qui passe augmente cette sensation d'être ligotée, à la merci des autres. Vincent arrive, l'embrasse puis se retire dans sa chambre où elle l'entend ouvrir les tiroirs de sa commode.

Au bout d'un moment, il sort, un sac à la main, s'approche de sa mère, visiblement embarrassé.

– Tu dînes avec moi ?

– Non.

Martine retient un mouvement de colère et pince les lèvres. Elle essuie ses lunettes d'un geste lent. Ses doigts tremblent.

– Si j'ai bien compris, tu viens seulement ici par devoir, mais ça te coûte. Ta fille t'occupe tout le temps.

– Ma fille s'appelle Sylvaine.

Vincent a blêmi. Il fait un pas en direction de sa mère.

– Et tu crois que tu as besoin de te mêler de ça ?

– Oui, je le crois ! repend Martine. Si vous vous aimez autant que tu le dis, tu ne devrais pas être à quelques mois près. Tu finirais tranquillement tes études et tu la retrouverais après.

Vincent pose son sac. Sa mère a peut-être raison, mais l'idée d'être séparé de Sylvaine lui est insupportable. C'est ainsi : il ne peut pas vivre quand elle est loin de lui. Sylvaine, c'est sa drogue à lui, sa façon de trouver un sens immédiat à la vie. Il ne sera jamais repu de ses caresses et de son amour.

– Tu crois ce que tu veux. Moi, je vis à ma manière et je suis majeur, poursuit-il. D'ailleurs, Sylvaine et moi, nous allons quitter Paris.

Martine s'étonne.

– Quitter Paris ? Mais pour aller où ?

Il tend la main vers la fenêtre.

– Dans le Midi. On en a marre de cette ville dégueulasse.

– Et qu'est ce que vous ferez dans le Midi ?

– On verra !

C'en est trop. Martine explose.

– Mais tu vois bien que tu dis n'importe quoi, qu'elle t'a monté le coup, cette fille !

– C'est moi qui ai décidé de partir. Je veux vivre, tu entends ! Es-tu sûre d'avoir vécu, toi ?

– Je me suis occupée de vous ! crie Martine.

– Ce n'est pas vivre, ça.

Constat cinglant. Martine reste un moment sans voix. Comment Vincent peut-il lui parler ainsi ? N'est-ce pas un reproche ?

– Vincent, tu me fais si mal...

Vincent prend sa mère dans ses bras.

– Maman, je t'en prie... Tout ira bien. C'est toi qui, par moments, me pousses à parler comme ça.

– C'est que je suis sûre d'avoir raison !

– Bon, je prends quelques affaires. On part en début de semaine prochaine. Les cours sont finis, tu vois, j'ai tenu ma promesse. Là-bas, on va chercher du travail.

– Mais c'est impossible, tu le sais bien.

– Non, c'est pas impossible. Sylvaine a un oncle qui gère plusieurs cafétérias. Il va nous trouver quelque chose. On passera voir papa en descendant.

Vincent embrasse encore une fois sa mère et sort. Martine retourne dans son bureau, s'assoit devant ses copies. La voilà, au bout de tant d'années de dévouement, abandonnée de tout le monde. Cette vie bien ordonnée, bien propre, qui devait se dérouler sans à-coups, sans surprise, prend un cap imprévu, le pire de tous. Pour économiser un peu d'argent, une multinationale qui réalise des milliards de bénéfices a sacrifié un homme et sa famille !

Elle ne se sent pas la force de supporter seule cette nouvelle vie qui commence. « Du moins, pense-t-elle, Vincent est heureux, même si cela ne dure pas, ce sera toujours ça de pris ! » Cette pensée lui met un sourire désabusé au coin des lèvres. Heureux ! Que veut dire pour elle ce mot dont le sens change d'une personne à l'autre ? Martine a été heureuse aussi, à sa manière. Follement. D'abord avec Urbain, ensuite avec ses enfants, deux superbes bébés joufflus qu'elle embrassait avec gourmandise...

Elle revient au téléphone et appelle Armelle. Une voix joyeuse lui répond. Martine éclate en sanglots en racontant le futur départ de Vincent pour le Midi avec sa « fille ».

– Je comprends rien à ce que tu me racontes ! fait Armelle. Allez, viens donc dîner chez nous, Jean-Jacques te ramènera.

Il y a trois stations de métro. Martine pourrait aller à pied, mais, ce soir, la simple idée d'attendre sur un quai ou de marcher lui déplaît, alors elle appelle un taxi.

Chez Armelle, Paul est là, en train de boire son whisky avec Jean-Jacques, Paul, toujours prêt à partir en guerre pour défendre un site ou une espèce animale. Ce soir, la petite Carole a parlé du sapin de Noël qui, l'hiver dernier, perdait ses aiguilles dans le salon.

– Maman a dit que cette année elle en achèterait un artificiel !

Alors, Paul s'en prend aux résineux qu'au nom de la rentabilité on a plantés un peu partout à la place des feuillus.

– L'eau de pluie n'est pas drainée et les rivières sont à sec chaque été. Les campagnes souffrent du manque d'entretien. En fait, l'homme a provoqué deux chamboulements dans l'histoire récente de la Terre. Le premier, quand il est devenu agriculteur et qu'il a modelé le paysage à ses besoins. L'équilibre s'est rétabli autour de lui, alors il est parti et l'équilibre s'est de nouveau rompu.

Jean-Jacques opine. C'est un curieux personnage, le mari d'Armelle ! Il caresse les cheveux de sa fille et, visiblement, pense à autre chose pendant que Paul parle. Depuis qu'elle est seule, Martine ne regarde plus les gens comme avant. Des détails qui lui échappaient au temps d'Urbain lui semblent désormais essentiels. Elle découvre d'autres visages derrière des masques, plus vrais, sûrement, mais plus dérangeants.

Irène n'est pas là. Armelle explique à Martine qu'elle a une de ses habituelles crises de migraine.

– Alors elle s'enferme dans sa chambre, dans le noir, et ne veut voir personne. Paul est à la rue. Je te dis, une chiante, celle-à !

Pour l'instant, Paul a oublié la migraine de sa femme. Il fulmine contre les politiciens qui oublient le destin de la Terre. Quand il parle, son visage s'allonge. Ses yeux gris-vert s'animent. Rien ne l'arrête et Jean-Jacques ne manque pas de le relancer. Pendant le repas, Martine boit un peu de vin, qui colore ses joues. Tout à l'heure, seule dans son appartement, les soucis reviendront et il n'y aura pas d'épaule chaude pour poser sa tête, pas de main pour lui caresser la joue. Il n'y aura rien que le silence ponctué par le bruit d'une voiture pressée dans l'avenue. Tout à l'heure, elle se donnera à son angoisse de l'avenir, sa terreur de la solitude ; pour l'instant, elle est bien à écouter Paul dont le regard s'arrête toujours sur elle et à rire des boutades de Jean-Jacques.

À la fin du repas, le temps de boire le café, et Paul regarde sa montre. Il doit rentrer ; demain l'attend une journée d'interminables réunions.

– Tu n'as qu'à reconduire Martine ! fait Armelle. Ça ne te fait pas un long détour.

Martine a un peu bu et se sent très légère. Elle suit Paul dans l'escalier. La nuit est tombée, mais le ciel reste clair. Paul marche et se tait tout à coup. À la voiture, il ouvre la portière du passager, Martine s'assoit en bredouillant un merci gêné. Il s'installe au volant. Dans la pénombre son visage n'est plus le même. La lumière de la rue éclaire son menton, le contour de ses lèvres. Il démarre.

– C'est où, déjà, chez vous ?

Autrefois, au temps des visites en couple, Martine croit se souvenir qu'ils se tutoyaient, mais elle n'insiste pas.

– Chez moi ? Mais voyons, vous êtes déjà venu avec Jean-Jacques, boulevard La Tour-Maubourg.

– Ah oui, c'est vrai. Pardon.

Martine a envie de parler, de dire n'importe quoi pour chasser ce silence lourd et reculer le moment de rentrer chez elle.

– Irène doit être bien malheureuse avec ses crises de migraine. Ça lui arrive souvent? demande-t-elle.

– Irène a la migraine tous les six jours et chaque fois qu'elle est contrariée, alors c'est infernal.

De nouveau le silence. Paul regard la rue et semble penser à autre chose. Martine relance la conversation.

– Si on pouvait toujours circuler aussi facilement, Paris serait un paradis.

Il opine. Les voilà arrivés. Une place libre, payante la journée, lui permet de se garer.

– Voilà! dit-il avec un grand sourire.

Il se précipite pour ouvrir la portière à Martine. Ce geste de galanterie auquel elle n'est pas habituée lui fait un plaisir immense à cette heure et elle en rougit. Elle prend son sac à main, se tourne vers Paul.

– Bon, eh bien, au revoir.

Ils s'embrassent. Comme l'autre jour, un léger frisson parcourt le dos de Martine. Il lui semble que c'est la première fois qu'elle touche avec ses lèvres cette peau pleine de la fraîcheur du soir. Paul la regarde entrer dans son immeuble. Au moment de fermer la porte, elle se tourne et lui fait un sourire.

Arrivée à l'appartement, elle n'a pas envie de dormir et cherche un album de photos. Les souvenirs défilent, Urbain à trente ans au pied du château de Turenne, Urbain en chemisette avec Vincent sur ses épaules. C'était un petit garçon qui n'avait peur de rien. Et ce bébé joufflu dans son bain, c'est Julien... À mesure que le temps passe, le sourire amusé de Martine se transforme en une grimace triste. Que reste-t-il de cette autre vie qui fut si heureuse? Des photos et le poids d'un passé face à un présent et à un avenir vides. Alors, elle jette l'album par terre et court dans sa chambre.

Elle se réveille en sursaut. Il fait jour et pourtant elle a l'impression de ne pas avoir dormi. Dans la salle de bains, la glace lui renvoie sa tête des mauvais jours : des cernes sous les yeux, les lèvres gonflées, le front ridé. Elle fuit dans la cuisine son visage de vieille femme. De la fenêtre vient une lumière intense. Le roulement lourd des voitures fait vibrer les vitres. Elle met de l'eau à chauffer et verse le café soluble dans sa tasse. Le liquide amer lui brûle la gorge.

Une fois prête, elle prend son sac d'école et sort. Il fait un grand soleil, la lumière pleut à travers les feuilles lourdes des platanes. Martine respire à pleins poumons l'air doux qui a, ce matin, des parfums de campagne. Une voiture bleue se gare en double file à sa hauteur. C'est Paul.

– Vous avez perdu ça ! dit-il en lui montrant son petit agenda. J'ai pensé qu'il pourrait vous manquer.

L'agenda a dû tomber, hier au soir, quand Martine cherchait ses clefs dans son sac.

– Merci ! dit-elle.

– Si vous voulez, je peux vous déposer à votre collège, c'est sur ma route.

– Je croyais qu'on se tutoyait, autrefois.

Il ne répond pas et lui ouvre la portière. La voiture démarre et se noie dans le flot de la circulation. Ils se taisent, sombrent dans ce silence lourd qu'ils ne savent pas chasser puisque les mots ne viennent pas naturellement à leurs lèvres. Finalement, c'est Paul qui parle.

– Irène a toujours la migraine. Hier, je n'ai pas pu entrer dans la chambre, ma seule présence lui donnait des coups de poignard dans le crâne, m'a-t-elle dit. J'ai dormi un peu sur le canapé avec le chien. J'avais envie de vous téléphoner pour venir bavarder avec vous. Certains jours, je me sens las et seul.

– Seul ? Vous avez quand même une présence près de vous. Moi, je n'ai que des photos et des souvenirs.

Elle a parlé très vite, comme si c'était honteux, cette solitude, une tare.

– C'est mieux de n'avoir personne pour vous reprocher d'aller et venir à votre guise.

– Ces reproches aussi manquent ! dit Martine. Le pire, c'est l'indifférence.

Ils arrivent. Paul contourne le collège et se gare dans une petite rue voisine.

– Je ne veux pas qu'Armelle me voie ici. Vous comprenez ?

Elle fait oui de la tête.

– Elle pourrait croire que... J'ai eu beaucoup de plaisir à bavarder avec vous. Je serais heureux si vous acceptiez de me revoir, de dîner avec moi un de ces soirs qu'Irène aura la migraine ?

– Pourquoi pas ? dit Martine en ouvrant la portière.

– Je vous appellerai en fin de semaine, fait Paul.

À l'entrée du collège, elle trouve Jacques qui l'attend. Elle l'embrasse rapidement sans un mot puis s'en va rejoindre Armelle, qui la regarde d'un air amusé.

– Tu en fais une tête, ce matin !

19

Ce soir, Urbain quitte le bureau plus tôt que d'habitude ; il doit prendre Julien au train de dix-huit heures. Il est à la fois content et anxieux. Comment cela va-t-il se passer entre eux ? Seuls et hors de Paris, vont-ils s'entendre ? Urbain ne sait pas grand-chose de son fils, il s'est si peu occupé de lui. Sa vie s'est passée dans son bureau et il ne voyait ses enfants que le soir, très peu de temps puisqu'il rentrait tard. Il a été un père absent aux heures de la tendresse et seulement là pour réprimander, pour commenter un carnet de notes, pour jouer au juge tout-puissant. Quand Julien, après avoir redoublé la seconde, devait redoubler la première, Urbain s'est débarrassé de ce souci avec de l'argent, en inscrivant l'adolescent dans ce cours Laurent, fourre-tout doré avec un internat de semaine qui protégeait ses soirées boulevard La Tour-Maubourg.

Un coup d'œil à sa montre. Il est parti plus tôt du bureau pour ne pas avoir à se presser et voilà qu'il risque d'arriver en retard. Le temps est encore lourd. De gros nuages sombres montent sur Cournon, l'orage se prépare.

À la gare, Urbain ne trouve pas de place et doit laisser sa voiture en double file dans une rue voisine. Un jeune homme blond, une longue mèche sur le devant, s'approche de lui. Sa valise tire son bras maigre. Sa boucle d'oreille retient un rayon de soleil.

– Salut, p'pa !

Ils s'embrassent machinalement. Urbain est gêné, pas un mot de bienvenue ne lui vient à l'esprit.

– Alors, ça va ?

– Oui.

Ils restent un moment l'un en face de l'autre, ne sachant que dire, puis Julien rejette sa mèche blonde.

– Ça t'embête pas que je vienne habiter chez toi ?

– Cette question ! Mais que comptes-tu faire ?

– Je sais pas. Je veux seulement être loin de Paris, ne plus jamais mettre les pieds au cours Laurent et travailler !

– Et tu veux faire quoi ? Ici, c'est une toute petite ville avec sûrement moins de travail qu'à Paris.

– Bah, je trouverai bien. J'aimerais apprendre l'ébénisterie.

– L'ébénisterie ? Mais faut être habile, avoir des dipositions...

– Et pourquoi je n'en aurais pas ?

La voix de Julien s'est faite plus aiguë.

– Et comment tu vas faire pour trouver ? Tu as une idée ?

– On verra.

Un silence. Le visage de l'adolescent se contracte. Il s'écarte un peu de son père, les yeux fixés sur le trottoir. Enfin il dit :

– C'est fou ce qu'il fait chaud !

Ils arrivent à une Clio. Julien s'étonne.

– C'est ta caisse ? Tu n'as pas gardé la BM ?

– Que veux-tu que je fasse d'une grosse voiture ici ? Je ne roule plus.

– Tu n'est pas allé voir pépé et mémé à Turenne ?

– Non, je ne suis allé voir personne. Je ne sors pas de la ville. Vincent va bien ? Il ne m'a pas appelé depuis un bon bout de temps.

Julien repousse encore ses cheveux.

– Il est toujours avec sa nana. Maman se fait beaucoup de souci.

– Elle m'a écrit qu'il voulait lui aussi arrêter l'école. Belle progression de la nouvelle génération ! Aucun de nos deux enfants n'abordera les études supérieures !

– Qu'est-ce que ça peut foutre ? C'est pas écrit sur le front des gens, s'ils ont fait des études supérieures.

– Oui, mais sans ce niveau qu'est-ce que tu veux faire ?

– Et toi, qu'est-ce que tu as fait ?

Cette réplique sèche griffe Urbain, qui ne bronche pas, pourtant ; une boule de colère grossit dans son estomac.

– Chez moi, c'est tout petit, dit-il. Il n'y a que deux chambres, la mienne et l'autre, qui sera la tienne.

Julien serre les dents. Son père veut-il lui signifier qu'il est de trop ? Quelle folle idée l'a poussé à le rejoindre ici ? Quand il sera sûr de lui, quand ce feu qui le ronge depuis deux jours sera éteint, il partira, il ira dans un foyer et cessera de voir sa famille. Il avait imaginé trouver ici un peu de réconfort, une main tendue, mais non, les anciens reproches font surface. Julien est orphelin ! Ses parents ne pensent qu'à eux. Leur fils préféré, c'est Vincent, le doué... Vivement qu'il soit complètement adulte ! Il ira aux États-Unis ou en Chine, très loin, et personne n'entendra plus jamais parler de lui. L'image des seins de Barbara traverse son esprit. Ce n'était qu'un piège. Aucune fille ne s'est jamais intéressée à lui ! Il n'est pas beau, il ne sait pas parler, c'est un bon à rien. Là, dans cette petite voiture à côté de son père, il a l'impression d'être parti pour nulle part, d'aller à un appartement identique à celui du boulevard La Tour-Maubourg pour y retrouver l'ancienne vie et ses humiliations.

Urbain gare la voiture dans une petite rue. Il descend et fait signe à Julien de le suivre. Ils entrent dans un couloir d'immeuble moderne. Sans un mot, Urbain glisse la clef dans une serrure et pousse la porte de chêne clair.

– Voilà, c'est ici !

Julien ouvre de grands yeux. Chez son père, ce modeste appartement qui ressemble à une H.L.M. ! Son père, qui a pourtant fait des études supérieures, habite dans ce petit trois pièces d'ouvrier ! La cuisine est à peine plus grande qu'une cabine de douche. L'évier est encombré d'assiettes.

– Tu sais, la vaisselle et moi..., s'excuse Urbain.

– Oui, bien sûr, je comprends.

– Bon, ta chambre, c'est à droite. Tu vas t'installer tranquillement ; moi, j'ai quelqu'un à voir. Je passerai te chercher dans deux heures pour aller dîner chez Jeanine Au Crapouillot. Tu verras, c'est superbe !

L'adolescent s'étonne des meubles modernes qui contrastent tant avec ceux de l'appartement de Paris.

– Ici, les brocantes ne sont pas nombreuses, précise Urbain, et puis je n'ai pas eu le temps de m'en occuper.

Julien découvre tout à coup le tableau accroché en face de la fenêtre, au-dessus du canapé, le tableau plein de la lumière du jour et ce visage de jeune fille délicat, tendre, insaisissable et pourtant si présent.

– Comme c'est beau ! s'exclame-t-il.

Urbain se tourne vers son fils, regarde un moment ce corps maigre, trop grand et un peu voûté, maladroit, et ce visage illuminé, plein d'admiration pour le tableau de M. Leroux.

– Tu aimes ?

– Vachement ! C'est chouette !

– Eh bien, ce soir, je te présenterai le peintre et Stéphanie, la jeune fille. Bon, installe-toi. Je reviens dans un moment, j'ai une course à faire pour mon boulot.

– Ton boulot ?

– C'est pas extraordinaire et il faudra bien que je trouve autre chose, mais pour l'instant je dois m'en contenter.

Urbain sort ; Julien ne peut détacher ses yeux du tableau, ce visage qui lui fait un signe, ce sourire un peu triste et si proche, plein de grâce et de douceur.

Il sort sur le balcon. Les collines, les montagnes d'Auvergne au loin resplendissent d'un bleu profond sous le soleil de juin. Ici, il y a de la lumière et de la place. La campagne est là, au bout de la rue et à portée de promenade. Autour du Puy de Dôme tournent des deltaplanes aux couleurs vives comme de grands oiseaux géométriques.

Sa chambre ne lui déplaît pas : elle est petite, mais claire, moderne, un peu comme celle qu'il habitait au cours Laurent. Cette comparaison avive sa douleur oubliée pendant la contemplation du tableau. Il s'assoit sur le lit et reste un long moment sans bouger. Le feu dévore de nouveau son corps. Il ne s'est pas drogué depuis trois jours... Ah, tenir encore quatre jours ! Après tout ira mieux, mais le plus dur reste à faire. Ici, il est perdu et il regrette déjà d'être venu. L'envie de courir jusqu'à la gare, de reprendre le train pour Paris le tente un instant. Il va jusqu'à la porte, fait demi-tour. Non, il ne partira pas : le retour à Paris serait une descente aux enfers. Il se place devant le tableau. Le visage de Stéphanie allié aux couleurs violentes des coquelicots l'apaise un instant. Il ne pense plus à la chair de poule qui hérisse douloureusement la peau de ses avant-bras, au feu de son corps et à l'envie, cette impérieuse envie de drogue.

Le temps ne passe pas. Dehors, de la fenêtre ouverte, vient un air étouffant plein de cris d'oiseaux et d'enfants. Avant de partir de Paris, Julien s'était juré de dire la vérité à son père pour lui demander de l'aider, mais maintenant il hésite. Urbain va sûrement le condamner, le rejeter. Non, l'adolescent mentira une fois de plus...

Urbain rentre vers huit heures et trouve Julien sur son lit qui claque des dents. Son visage est d'une pâleur inhabituelle.

– Qu'est-ce qui se passe, tu es malade ? Tu veux que j'appelle un médecin ?

– Non, c'est le rhume des foins. Ça va passer dans quelques minutes. On peut aller dîner.

Urbain ne sait rien de la drogue et des différentes manifestations du manque, mais, comme tout le monde, il en a entendu parler, il a lu des articles, vu des reportages à la télévision. Jusque-là, il pensait que c'était le lot de marginaux, de malades, surtout pas de ses enfants. Ce soir, devant Julien, il a un doute.

– Qu'est-ce que tu as ? Dis-moi la vérité.

– Mais rien, je te dis.

– Rassure-moi, tu n'as pas été assez con pour goûter à ces saloperies...

– Quelles saloperies ?

Le garçon s'est dressé sur les coudes et regarde son père, sur la défensive.

– Tu sais ce que je veux dire.

Urbain a haussé le ton. Un peu trop pour que Julien ne le ressente pas comme une attaque.

– Allez, dis-moi que c'est pas vrai ! insiste Urbain d'une voix plus forte.

Alors, Julien explose.

– Eh bien, si ! Je me came ! Voilà la vérité. Je suis venu ici pour en sortir.

Urbain reçoit le coup en pleine figure. Il titube, assommé, puis reprend ses esprits.

– Tu te drogues ?

– Je me suis fait piéger, voilà !

– Mais alors, tu es plus con que je croyais !

Julien pousse un cri. Urbain se détend, les poings en avant. Un voile rouge se déploie devant ses yeux. Un coup de couteau en plein cœur ne lui aurait pas fait plus mal que cet aveu. Alors, il frappe l'adolescent qui roule sur le lit et se protège le visage avec les mains, frappe encore de toutes ses forces. Il se libère d'une colère vieille de plusieurs mois.

– Papa, je t'en supplie...

La voix stridente stoppe net Urbain qui se dresse, en sueur. Julien pleure en boule, comme un tout petit enfant. Un filet de sang coule de son nez.

– Va te nettoyer ! Maintenant, on va aller manger chez Jeanine ! fait Urbain d'une voix qui tremble.

Julien ne bronche pas. La figure dans l'oreiller, son corps tout entier est soulevé de sanglots.

– Tu m'entends ?

– Je ne veux pas manger !

– Alors, reste ici. Au point où tu en es !

La colère d'Urbain ne s'est pas apaisée. Il prend son téléphone, compose le numéro de Martine.

– Allô ! c'est moi ! hurle-t-il.

Un silence, celui de la surprise et de l'émotion.

– Ah, c'est toi ! Julien est bien arrivé ?

– Oui, il est bien arrivé et dans quel état. Tu faisais quoi pendant qu'il se laissait entraîner dans ses cochonneries ? Hein, tu faisais quoi ?

– Je faisais ce que je pouvais ! Toi, tu étais bien tranquille à quatre cents kilomètres. Alors, c'est bien le moment de me faire des reproches.

– Tu savais que Julien était difficile. Tu aurais dû te rendre compte de quelque chose !

Un silence et le bruit bizarre d'un sanglot retenu que le téléphone déforme.

– Comment tu peux me faire aussi mal, Urbain ? Dis, pourquoi tu es si injuste ?

– Injuste ? Et, maintenant, tu m'envoies Julien pour que je me débrouille !

– C'est trop ! dit Martine dans un cri.

Elle raccroche. Urbain, sans un mot, sort de l'appartement. Il n'a pas envie d'aller chez Jeanine. Il ne veut voir personne et va dîner seul dans une brasserie du quartier Saint-Jacques.

20

Pour se calmer, Urbain marche dans les rues. Sur la place de la Mairie, des enfants jouent aux billes. Des groupes de promeneurs flânent en bavardant. Le soir tombe lentement, avec cette sérénité particulière au Massif central.

Rien ne va. Julien y est pour beaucoup, mais la détresse de son fils met Urbain en face de sa propre errance. Tout ça ne peut pas durer ! Il a sauvé les apparences, mais son orgueil saigne. Son travail n'est qu'une routine qui l'ennuie et il supporte de plus en plus mal sa position de subordonné. De son père, paysan libre, il a conservé le goût de l'indépendance et ne veut avoir à rendre de comptes qu'à lui-même.

Il se cache à Clermont-Ferrand. Une nouvelle fuite n'arrangera rien. À quarante-cinq ans, il est un raté dont la société n'a pas besoin et qui a aussi raté ses enfants. À cette heure, il regrette de s'être emporté contre Julien, victime, comme lui. Ce soir, Urbain va lui parler doucement, lui dire qu'il a eu tort de se mettre en colère. Il cessera enfin d'être un censeur, un juge près de ce garçon que personne n'a jamais pris la peine d'écouter.

Il rentre chez lui. En arrivant, il s'étonne de trouver la porte ouverte. Le gardien, un retraité de l'armée qui sort les poubelles et entretient les espaces verts, est là.

– Ah, mon pauvre monsieur... Vous voilà !

– Qu'est-ce que se passe encore ? fait Urbain, pris d'un pressentiment.

– Les gendarmes sont venus !

– Les gendarmes ?

– Votre gars a fait une crise de nerfs. On n'a pas pu le calmer. Alors...

– Alors, vous avez appelé les gendarmes ! dit Urbain sur un ton de reproche. Un enfant vous fait peur, à vous, l'ancien combattant d'Algérie !

Dans l'appartement, tout est renversé. Le meuble d'entrée est vidé de son contenu ; la lampe de chevet est brisée. La vaisselle en miettes jonche le tapis. Les fauteuils sont déchirés. Il ne reste en place que le tableau, le beau tableau de M. Leroux. Urbain est atterré ; il pousse un juron puis court jusqu'au commissariat de police voisin. Julien est là, la tête basse. Il s'est coupé à la joue et une plaque de sang caillé a durci sur son menton. Les mains posées sur les genoux, l'adolescent lève les yeux vers son père, ses paupières s'abaissent.

– Le voilà, votre forcené ! dit un gendarme d'un air entendu.

Urbain s'approche de son fils et constate qu'il n'a plus sa boucle d'oreille. Il l'a arrachée, et le lobe déchiré saigne.

– Faudrait peut-être l'emmener soigner !

– Je m'en occupe ! dit Urbain d'une voix grave. Viens, Julien.

Julien le suit sans un mot. Urbain aussi se tait. Il a mal, une douleur vive qui vient de nulle part. Une fois dans la rue, il passe son bras sur l'épaule du garçon. Ils marchent ainsi tous les deux. Urbain voudrait dire les mots d'apaisement qui arrivent dans son cœur, mais, encore une fois, il se tait. Le soleil s'est couché et la nuit tombe lentement, un nuit claire, chaude, pleine d'insectes.

– Qu'est-ce qu'il t'a pris ?

Julien murmure :

– Je ne sais pas.

Des jeunes gens se mettent à rire quand ils passent près d'eux.

– Tu as bien fait de venir chez moi.

Alors, Julien tourne vers son père son visage maigre, ses yeux bleus que Vincent a toujours enviés.

– Tu comprends, continue Urbain, le métier de père, ça ne s'apprend pas et c'est difficile.

Ils arrivent à l'appartement. Drôle de couple ! Julien a une tête de plus qu'Urbain ; sa mèche est pleine d'une lumière précieuse.

– Tu veux qu'on aille à l'hôpital ?

– C'est pas la peine.

– Mais ton oreille...

– Ça guérira tout seul.

– Comme tu veux ! conclut Urbain.

Sans un mot, Julien commence à ranger et à ramasser les débris. Le téléphone sonne. C'est probablement Martine qui vient aux nouvelles. Julien décroche.

– C'est pour toi ! dit-il. C'est pas maman.

C'est le commissariat. Dans sa précipitation, Urbain a oublié sa sacoche.

– J'arrive ! dit-il.

Julien demande :

– Tu sors ?

– J'en ai pour cinq minutes.

Quand il revient, une heure plus tard, Urbain a une bonne surprise. La vaisselle cassée est entassée dans un carton, les meubles sont refermés. Dans sa chambre, Julien dort en travers du lit. Urbain lui enlève ses chaussures et va chercher une couverture. Le garçon ouvre les yeux.

– C'est toi ?

– Oui, il a fallu que je signe une déposition, c'est pour ça que j'ai mis autant de temps.

Julien sourit et ferme de nouveau les yeux. Il est beau à cette heure, malgré la pâleur des joues. Il s'est nettoyé le visage et il ne reste de l'éraflure de sa joue qu'une mince ligne rouge. Un petit pansement est collé au lobe de son oreille gauche... Quel mystère cache ce front lisse, ce visage baigné de la lumière bleutée de la nuit, quelle blessure profonde fait un rebelle de ce garçon d'apparence si douce ? Urbain aurait envie de caresser doucement ces cheveux blonds, mais il ne le fait pas, conscient de sa maladresse. Il va se coucher à son tour.

Le lendemain matin, il se lève, la tête lourde. Julien le rejoint dans la cuisine. Les draps ont marqué sa joue droite d'une raie rose.

– Salut.

– Bien dormi ? demande Urbain.

– Non, mais mieux que les dernières nuits.

– Je parie que tu as faim ?

– Bof, un peu...

– À midi, je reviendrai du bureau et on ira manger chez Jeanine. Tu vas voir le phénomène ! Et Jules qui marche comme un jouet mécanique, jamais un pas plus grand que l'autre et qui se fait engueuler tout le temps... Et puis Armand Leroux qui a peint le tableau.

Urbain verse le café fumant dans les bols.

– C'est vrai qu'il n'y a pas grand-chose à manger ! Moi, je ne mange pas le matin et le reste du temps je vais au resto. Mais t'en fais pas, on va s'arranger...

Julien sourit. Il aime la manière dont son père parle, ce matin. Il ne donne pas de leçon, ne se place pas au-dessus de lui.

– C'est pas grave ! dit l'adolescent. Je peux tenir jusqu'à midi.

– Et qu'est ce que tu vas faire, toi ?

– Continuer de ranger.

Quatre jours, déjà, qu'il ne s'est pas drogué. Tiendra-t-il encore aujourd'hui ? La chair de poule hérisse sa peau. Son corps ne s'habitue toujours pas au sevrage. Il ne cesse d'y penser et s'invente de bonnes raisons pour rechuter.

– Bon, faut que j'aille au boulot. Réfléchis à ton histoire d'apprentissage. On verra ce qu'on peut faire. Je passe te prendre vers midi pour aller déjeuner chez Jeanine.

Quand son père est parti, Julien porte les assiettes cassées à la poubelle, lave les bols, range le placard de la cuisine. Enfin, il sort faire un tour dans cette ville si différente de Paris. Une brûlure vive mord son ventre. Au carrefour, un panneau indique la direction de la gare. L'idée de repartir ne le quitte pas. Peut-être que sans la dispute avec son père, hier, sans sa colère, il serait déjà dans le train. Un petit vent doux caresse ses joues. Ça sent l'herbe sèche, la fleur épanouie.

À midi, l'adolescent attend Urbain au bas de l'immeuble et ils partent Au Crapouillot. Le regard de M. Leroux s'attarde sur Julien.

– Vous vous êtes blessé, jeune homme ? demande-t-il de sa voix rauque, un peut grasseyante.

– C'est mon chat qui m'a griffé ! dit Julien sans se démonter.

– Faites voir votre profil.

Julien rougit, regarde son père, qui sourit. M. Leroux se tourne vers Urbain.

– Quelle pureté de ligne ! Félicitations, monsieur Viallet, votre fils a un visage parfait ! Imaginez la *Jeune Fille aux coquelicots* avec un deuxième personnage ! Jeune homme, je vais vous peindre !

Julien rougit et ne sait quelle attitude prendre. M. Leroux s'éloigne dans le couloir. À la cuisine on entend Jeanine s'emporter contre ce jean-foutre et ses idées saugrenues. Le peintre revient au bar, accompagné de Stéphanie. Julien est frappé par sa ressemblance avec la jeune fille du tableau. Il la trouve encore plus belle en réalité et baisse les yeux. M. Leroux demande à Stéphanie de se mettre à côté du garçon.

– Regardez-vous et souriez !

Ils obéissent puis éclatent d'un fou rire qui gagne tout le monde sauf le peintre, qui fronce les sourcils.

– Un peu de sérieux... Monsieur Viallet, je vous prends à témoin... Ah, le chef-d'œuvre ! L'univers n'a été fait que pour en arriver à ces deux visages, beauté, grâce et avec ce je-ne-sais-quoi de fantaisie sans laquelle la ligne la plus pure est fade.

Jeanine fait irruption dans le bar et crie :

– C'est bientôt fini, ce cinéma !

Puis, se tournant vers Julien :

– C'est donc votre petit gars, monsieur Viallet !

Julien est encore troublé par ce qu'il vient d'entendre. Comment M. Leroux peut-il le trouver beau au point de vouloir le peindre avec Stéphanie, lui qui ne supporte pas son image dans une glace ?

À table, M. Leroux se lance dans une explication vaseuse du mal français. Urbain dit à Jules qu'il cherche un patron pour Julien qui aime le bois. M. Leroux s'exclame :

– Je connais bien un certain Robert Commont, ébéniste de talent. Lui seul sait fabriquer des chevalets qui me conviennent !

Plusieurs fois, Stéphanie traverse la salle et regarde furtivement Julien, qui rougit. Il a honte de sa mèche et la plaque sur le dessus de sa tête.

– J'irai trouver Robert Commont ! ajoute M. Leroux, à condition que le jeune homme accepte de poser pour moi.

À la fin du repas, Urbain et Julien rentrent chez eux. Il fait une chaleur lourde, des nuages se forment sur le Puy de Dôme pleins d'une lumière éclatante.

– Au fait, c'est quoi, ton boulot ? demande Julien.

– Gérer des stocks de boîtes de conserve.

21

Dès la mi-juin, Paris prend un air de vacances. Les facultés se vident ; boulevard Saint-Michel, des groupes de jeunes gens aux chemises colorées et aux robes légères envahissent les terrasses des cafés. Des Japonais photographient les anges dorés du pont Alexandre-III. Avenue des Champs-Élysées, tard dans la soirée, des promeneurs s'arrêtent devant les vitrines illuminées. On y parle toutes les langues du monde. Des cars stationnent près de la tour Eiffel... les bateaux-mouches sillonnent la Seine. Le soleil éclaire le Sacré-Cœur d'une blancheur immaculée, presque irréelle. Il fait bon marcher sur les trottoirs, flâner sur les quais, se mêler à la foule, s'inventer des aventures qu'on ne vivra jamais...

Au lycée Stanislas, les élèves de math sup. ont passé leurs examens. Valérie et Lionel sont admis en math spé. et, eux aussi, pensent aux vacances bien méritées.

Ils viennent, un soir, boulevard La Tour-Maubourg pour prendre des nouvelles de Vincent. Martine les invite à s'asseoir un instant au salon. Il fait chaud. De la fenêtre ouverte arrivent des bouffées d'air torride qui sentent la poussière et la fleur de marronnier.

Valérie a attaché ses cheveux qui dégagent sont front. Lionel se tourne vers Martine.

– Franchement, je ne comprends pas une telle décision...

Valérie bat des paupières très rapidement, inspire comme pour dire quelque chose puis se tait. Cette histoire la touche beaucoup plus que tous les autres, plus que Lionel, en tout cas !

– J'ai reçu une lettre, dit Martine. Ils sont à Castres et travaillent dans une cafétéria.

Elle a parlé d'une manière curieuse, douce et suave. D'ailleurs, Valérie remarque qu'elle n'a pas sa tête habituelle, qu'elle regarde par la fenêtre, que ses yeux s'attardent sur un détail, un vase, un dessin du tapis. Le coin de ses lèvres n'est plus retroussé comme avant en un pli qui faisait une petite ride ; ses lèvres sont au contraire étirées, comme plus longues et plus épaisses.

– S'ils sont heureux..., répète-t-elle avec un sourire.

À cet instant, elle pense à Paul qui lui fait la cour et qu'elle voit tous les jours. Elle n'a toujours pas accepté de dîner avec lui et prend beaucoup de plaisir à prolonger son impatience. Ce soir, il doit venir boire l'apéritif...

– Mais enfin, explose Valérie, ce n'est pas possible ! Cette fille a quelque chose que les autres n'ont pas ! Vincent qui avait la tête sur les épaules, qui était sérieux, trop, même, Vincent qui ne pensait qu'à ses études, du seul instant où il la voit, en tombe malade, car c'est une maladie, n'est-ce pas, madame Viallet ?

– Hein ?

Martine pensait encore à Paul. Elle revient à la réalité comme si elle descendait d'un nuage plein de douceur. Cette attitude désinvolte étonne Valérie.

– Vous en faites pas, il comprendra. La restauration, c'est pas pour lui. Il en aura vite assez.

– Eh bien, voilà ce qu'on a décidé, nous, ses amis, fait Valérie en se dressant avec un air de défi dans la voix. On va descendre camper à Castres. On ira le voir tous les jours à sa cafétéria. On l'entraînera avec nous, on essaiera de le ramener. Il peut recommencer son année. Le proviseur l'a dit.

Valérie semble sûre d'elle. La liaison de Vincent l'a affectée au point qu'elle a failli, elle aussi, rater son année. Elle n'a dû sa réussite qu'à la sollicitude toujours présente de Lionel.

– On va essayer de le ramener, corrige-t-il. Et puis Castres, c'est pas mal comme patelin.

– Vous savez, dit Martine, tout ceci m'a beaucoup tracassé, et maintenant j'ai compris qu'il ne faut pas dramatiser.

Valérie regarde Martine en fronçant légèrement les sourcils. C'est bien la première fois qu'elle l'entend parler de la sorte, elle, la mère de famille exemplaire.

– Et vous partez tous ?

– L'équipe des inséparables, dit Lionel. Babette et Alain viennent aussi. On va passer quinze jours sympa et peut-être plus.

– On espère surtout faire entendre raison à Vincent ! ajoute Valérie. Au fait, comment va Julien ?

– Il est avec son père.

Valérie ne comprend toujours pas ce qui a poussé Urbain à fuir la maison, à provoquer cette série de catastrophes. On a beau dire que le chômage remet en question les vieux équilibres ; dans une famille, quand on s'aime, quand il y a ce sentiment très fort qui unit tout le monde comme les doigts d'une main, on ne se sépare pas pour une égratignure. Non, la question est plus profonde ; quelque chose déjà n'allait pas et c'est cet événement inattendu qui l'a révélé.

– Bon, faut qu'on s'en aille ! dit Lionel. On doit faire nos paquets. On part en voiture avec Alain. Je sais pas si on arrivera au bout du voyage avec sa vieille bagnole. Mais l'aventure, c'est ça aussi. Peut-être serons-nous obligés de camper à Juvisy !

– Surtout, soyez prudents ! dit Martine en les embrassant tous les deux.

Enfin, la voilà seule. Depuis quelques jours, elle se monte la tête. Chaque matin, Paul l'attend à côté du métro pour l'emmener au collège. Cela a suffi pour allumer un espoir insensé, mais voilà, elle se trouve laide et vieille. Elle passe des heures devant sa glace à essayer de colmater cette ride au coin des lèvres et ces profondes entailles au front. Elle est allée chez le coiffeur : quelques cheveux blancs sur ses tempes lui étaient insupportables au point de ne voir que ça. Et puis ses lunettes ne lui semblent pas en harmonie avec son visage, ses joues rondes de petite fille. Elle voudrait avoir les joues creuses, c'est plus beau. Et son corps horriblement avachi... Pourquoi n'aurait-elle pas une poitrine comme Armelle, bien ferme, bien droite, un ventre plat ? Comment pourrait-elle plaire à un homme ? Ah, ils en ont de la chance, eux, s'ils ne grossissent pas, ils restent jeunes longtemps ! Mais, après deux maternités, que reste-t-il des belles formes d'autrefois ? Rien ! La nature l'a voulu ainsi : la femme a une vocation de mère. Après la naissance de ses enfants, sa vie ne lui appartient plus, elle se doit tout entière à eux. Martine fait la grimace : l'un est à Castres en train de vivre le parfait amour et l'autre avec son père à Clermont-Ferrand. Jusque-là, elle a fait son devoir, sans faillir une seconde, il est temps de penser à autre chose, mais n'est-ce pas déjà trop tard ?

Non, ce n'est pas trop tard. Paul l'a appelée plusieurs fois et va passer ce soir. Il a souvent des réunions. C'est facile pour lui de s'absenter sans que sa femme lui pose la moindre question. À cette seule pensée, à l'idée de voir Paul, son cœur bondit, accélère, puis brusquement son visage s'assombrit. À quoi cela va-t-il servir ? À tromper sa solitude le temps d'une soirée ! Paul ne laissera jamais sa femme pour venir vivre avec elle. Il est trop honnête, trop profondément juste. D'ailleurs, en a-t-elle envie ?

La sonnerie du téléphone la fait sursauter. Urbain ? Martine ne veut pas l'entendre ce soir et laisse fonctionner le répondeur.

– Allô, maman, c'est Vincent... Je t'appelais pour...

Martine décroche précipitamment.

– Vincent ? Qu'est-ce qu'il t'arrive ?

– Rien de spécial. Je voulais simplement que tu m'envoies le papier de mon sursis militaire. Je veux le résilier.

– Mais... Tu as bien le temps.

– Non. L'armée, c'est un truc casse-pieds, mais je veux la faire pour qu'on ne me taxe pas de forte tête. Et puis, tu comprends, on n'embauche pas comme responsable quelqu'un qui ne veut pas se plier aux mêmes règles que les autres.

– Comme responsable ? Qu'est-ce que tu dis ?

– Eh bien, je dis que j'ai beaucoup bavardé avec l'oncle de Sylvaine. Je vais travailler avec lui. Mais, avant, faut que je me débarrasse de l'armée.

– Tu veux faire carrière dans la restauration ?

– Pourquoi pas ? Finalement, ça me plaît bien.

– Comme tu veux. Je vais t'envoyer ce que tu me demandes.

Elle raccroche. Vincent ne lui a même pas demandé si elle allait bien, si elle s'habituait à sa solitude forcée ; il ne s'est pas inquiété de son frère ni de son père. Pour lui, la page est donc tournée. Il est ailleurs, il vit autrement ; le jeune oiseau n'a plus besoin du nid... Pourquoi s'en étonner ? Toute famille est vouée au démantèlement.

Elle s'est approchée de la fenêtre et regarde le boulevard, encombré à cette heure. On sonne, elle court à la porte, le cœur battant.

– Bonjour, fait Paul, comme embarrassé, ne sachant pas trop s'il doit tendre la main à Martine ou l'embrasser.

Il s'est cru obligé de trouver une justification à cette visite du soir.

– Vous m'avez parlé de ce livre sur la pollution des nappes phréatiques... Je vous l'ai retrouvé et je vous l'apporte.

Avant ce jour, Paul ne croyait pas que les relations entre les hommes et les femmes deviennent difficiles avec le temps. Quand il était jeune, c'était plutôt un garçon assez entreprenant et, ce soir, le voilà maladroit, incapable de lever les yeux sur Martine. Il comprend combien toutes ces années l'ont coupé des autres, aussi se trouve-t-il ridicule avec son livre à la main.

– Eh bien, c'est très gentil. Entrez, vous allez bien prendre quelques chose.

Martine aussi est mal à l'aise. Devant elle un chemin s'ouvre avec des lumières qui scintillent, mais comment le prendre sans penser que c'est mal et que l'illusion va bien vite prendre fin ?

– Je vous offre une bière ou autre chose ?

– Oui, une bière, ce sera parfait.

Il se met à parler de la pollution des eaux souterraines et des risques de maladies qu'elle entraîne. Martine ne l'écoute pas, elle le regarde discrètement. Au bout d'un moment, Paul se tait. Le soleil couchant saupoudre les toits d'une lumière dorée. Enfin, il ose lever les yeux sur Martine.

– Je suis redevenu un petit garçon. Je me croyais bien à l'abri de ça et puis...

Martine regarde son verre de menthe.

– Et puis quoi ?

– Pardonnez-moi ce que je vais dire, fait Paul. Voilà, je pense à vous tout le temps.

Elle sourit, mais ne montre pas combien ces mots lui font du bien.

– Ce n'est pas très gentil pour votre épouse...

– Tant pis, ajoute Paul, même si c'est mal pour Irène, c'est ainsi. On ne commande pas ces choses-là...

Il prend la main de Martine et la porte à ses lèvres. Ce contact, chez elle, dans cet appartement qu'elle a partagé si longtemps avec Urbain la dérange, mais elle ne bouge pas. Son cœur bat très fort, et quand il veut l'attirer contre lui elle se contracte et se dégage.

– Non, ce n'est pas possible ! dit-elle. Vous comprenez que ce n'est pas possible.

Il s'étonne.

– Mais pourquoi ? Vous êtes libre !

– Non, c'est plus fort que moi, je ne peux pas...

Il semble dépité. Il se lève sans finir sa bière et se dirige vers la porte. Elle s'approche de lui.

– Faut pas m'en vouloir. Bonsoir, Paul.

Il sort. Martine l'entend descendre lourdement l'escalier. Alors, elle court sur le palier, ouvre la bouche pour l'appeler, puis se tait. Une force, quelque chose dont elle ne saurait dire la cause noue sa gorge. Elle rentre, ferme la porte, tourne les verrous. Le beau rêve doré vient de s'écrouler, terrassé par son propre poids.

Elle va dans sa chambre, s'allonge sur son lit et se met à pleurer.

22

– Elles sont dégueulasses, tes nouilles !

Urbain est en train de faire cuire le steak. La viande frit dans le beurre avec un bruit de pluie. Il y ajoute un peu de sel. Julien, assis à table, fait la grimace devant son assiette.

– Elles sont collées, c'est de la semelle avec un goût d'eau croupie.

– Tu as dû en boire souvent, de l'eau croupie.

Julien est chez son père depuis trois jours. Trois jours de supplice, d'errance dans les rues comme un animal efflanqué, un chien prêt à fouiller toutes les poubelles. Il est allé rôder près des grands immeubles de la périphérie, les places publiques, les parkings souterrains, bref, partout où à Paris se tiennent des revendeurs qui se cachent à peine pour faire leur commerce, mais la province est pudique et n'étale pas ses vices. Julien a l'argent d'une dose, celui que sa mère lui a donné, et il rentre bredouille. La tentation de repartir pour Paris est toujours aussi forte, mais, une fois payé son billet de train, que lui restera-t-il ? Alors, il s'assoit en face de la *Jeune Fille aux coquelicots* et s'invente une vie avec elle. Jamais son imagination n'a aussi bien fonctionné. Et puis M. Leroux qui le trouve beau, va le peindre avec Stéphanie. Cette perspective a contribué à le faire renoncer à ses idées de fuite.

Et ça va déjà mieux. Il souffre moins du manque. La pierre de son ventre est moins dure, le feu de son corps s'est éteint, mais ses nerfs restent à fleur de peau. Urbain évite de le contrarier, ce qui n'est pas toujours facile.

– Au fait, tu es allé voir ce M. Commont, l'ébéniste ?

– Oui.

– Et alors ?

– C'est un con !

Urbain hausse le ton.

– Quand tu trouveras quelqu'un à ton goût, tu me feras signe !

La poêle à la main, Urbain pose une tranche de viande dans l'assiette du garçon, qui se met à la couper avec des gestes appliqués.

– Ce Commont, c'est un ours. Il est énorme et pue la sueur.

– Peut-être, mais dans la vie il faut s'habituer à tout, même aux cons qui puent la sueur.

Entre eux, c'est ainsi depuis le début, un chassé-croisé, une suite de querelles larvées et de réconciliations. Quand Urbain comprend qu'il est allé trop loin, il fait marche arrière, revient vers l'adolescent en tournant leur différend en dérision.

– On ne va pas en faire un fromage !

Chaque après-midi, Julien se rend rue Basse, près du Crapouillot dont les lettres rouges de l'enseigne brûlent dans l'air d'été. Il surveille de loin les allées et venues de Jules, de Gaston et de Jeannot, le chef cuisinier, qui s'en va vers trois heures de l'après-midi. Stéphanie sort une demi-heure plus tard. Julien la suit de loin. Il sait qu'elle habite un pavillon aux volets blancs sur la route de Cournon. Il redoute toujours que quelque amoureux, quelque ami ne la rejoigne, mais non, elle fait seule le chemin dans les deux sens. Seule ! Julien peut donner libre cours à son imagination...

En rentrant du bureau, Urbain s'arrête au supermarché du bas de la rue. Il achète du lait pour Julien, un peu de viande, des pâtes et des boîtes de conserve. La cuisine n'est vraiment pas son affaire. Il a beau essayer, suivre à la lettre les recettes du petit livre de poche qu'il a acheté l'autre jour, il n'y arrive pas. Julien a sûrement raison de dire que c'est dégueulasse ; Urbain ne lui reproche pas ce jugement, il lui reproche surtout de ne jamais se lever de sa chaise pour donner un coup de main et de tout faire en dépit du bon sens.

– On est deux, n'est-ce pas ? Les corvées, ça se partage.

Le jeune homme, à court d'arguments, répond :

– T'as qu'à acheter des assiettes en carton. On les foutra à la poubelle...

Cette désinvolture contrarie Urbain, qui revient alors aux leçons.

– Dans la vie, il y a des choses peu agréables qu'on est tenu de faire !

Ici, loin de l'appartement du boulevad La Tour-Maubourg qui était celui de la réussite, loin des bonnes notes de Vincent, ces remarques ne blessent pas le jeune homme. Lui aussi a le sens de la dérision.

– Pourquoi faire ce qui n'est pas nécessaire ?

Urbain n'insiste pas. Ce soir, il est pressé.

– Je suis obligé de te laisser. Un dîner pour le boulot.

Les paupières du garçon battent à plusieurs reprises. Urbain, qui se sent coupable, se croit obligé de préciser :

– J'ai pas pu me défiler. Mais, demain, on ira tous les deux Au Crapouillot.

Le visage du garçon s'éclaire. Urbain ajoute :

– Tu as de la viande si tu veux te la faire cuire, du jambon dans ce paquet. Ici, c'est les œufs. T'es largement aussi doué en cuisine que moi.

– T'en fais pas pour moi ! fait Julien en souriant.

Urbain remarque combien ce sourire embellit le visage de son fils qui a retrouvé des couleurs. C'est vrai qu'il est beau !

Quelques instants plus tard, Urbain sort de la salle de bains, changé et cravaté.

– Ma parole, tu as un rancard ?

– Arrête de te moquer de moi !

Dans de tels instants, ils trouvent cette complicité, ce plaisir d'être ensemble auxquels ils pensent tous les deux pendant les moments de dispute et c'est ce qui les empêche de provoquer l'irréparable.

– Au fait, pourquoi vous vous êtes séparés, maman et toi ?

Urbain marque sa surprise. Il ne s'attendait pas à cette question et se contente de répondre :

– Parce que ça n'allait plus...

– Ça n'allait plus parce que tu étais au chômage. Sans ça, tu serais encore à Paris et moi au cours Laurent. Je me ferais engueuler chaque samedi... Au fond, c'est très bien comme ça ! Qu'est-ce que t'en penses ?

– Sûrement ! Bon, j'y vais. Je ne rentrerai pas tard.

Le soleil arrive sur les collines de Chamalières. La lumière du soir découpe de longues ombres. Urbain entre dans sa voiture, un four. Il ouvre les vitres et met la ventilation. La vérité, il ne pouvait pas la dire à Julien : ce n'est pas à un dîner de travail qu'il se rend. Sophie Lartigues l'a appelé ce matin pour prendre des nouvelles du bureau.

– Ça fait une éternité que nous ne nous sommes vus. On pourrait bavarder un peu, un de ces soirs...

– Et si nous dînions ensemble ? a osé Urbain.

Il est heureux, comme à l'approche d'un événement qui va transformer sa vie. Non, il n'est pas amoureux de Sophie ; son cœur, au fil des ans, est devenu insensible. Depuis vingt ans, l'amour de Martine a formé un ciment qui en a bouché toutes les ouvertures. Il n'a jamais regardé les autres femmes, le temps lui a toujours manqué pour ça et Sophie n'est qu'une collègue de travail avec qui il s'entend bien. Et puis c'est une belle femme. Passer une soirée avec elle ne peut être qu'agréable !

Il se gare au parking de la place Jaude. Le centre-ville est envahi de promeneurs. Il fait bon marcher dans les rues après la chaleur torride de la journée.

Urbain entre dans le bar. Sophie n'est pas là, ce qui le contrarie un peu. il aurait aimé la faire attendre, mais c'est le contraire qui va se passer. Il s'assoit, commande un whisky en regardant dehors. Sophie arrive, enfin. Elle porte un tailleur d'été blanc, très classique. Ses cheveux frisés sont pleins de lumière rousse.

– Pardonnez-moi, fait-elle. Je travaille en ce moment dans un cabinet d'avocats et mon patron a toujours quelque chose à me faire faire quand je veux m'en aller. J'ai voulu passer à la maison pour me changer. Et puis il faisait si bon que je n'ai pas pu résister au plaisir de venir à pied.

– Ce n'est pas grave. J'arrive à l'instant.

Sophie commande un whisky. Urbain redécouvre ses yeux bleus pailletés d'or. Son visage est resté très jeune avec son petit nez légèrement relevé et ses lèvres qui ont conservé de l'épaisseur.

Elle sourit. Une ride se forme au coin de sa bouche.

– Vous allez partir en vacances ? demande-t-elle.

– Non, je ne vois pas bien où j'irais. Chez mes parents ? Depuis que je me suis séparé de ma femme, mon père refuse de me voir. Il m'en veut, comme si c'était un crime.

Ils bavardent ainsi un moment puis passent au restaurant. Là, la lumière est plus douce. Le jour ne vient pas dans cette pièce, seulement éclairée par des appliques électriques.

– Mon fils m'a rejoint, précise Urbain. C'est un garçon difficile qui ne réussit pas à l'école... Il me semble que ça va un peu mieux. L'éloignement de Paris lui a été bénéfique.

À table, Urbain boit verre sur verre pour dissiper son malaise. En vérité, il s'est toujours trouvé laid et sans intérêt. Le vin lui délie la langue et les mots viennent plus facilement. Sophie l'écoute, sourit. Elle mange du bout des lèvres, elle grignote, mais boit presque autant que lui. Urbain avait remarqué ce penchant lorsqu'ils déjeunaient ensemble. Il la sent fragile et vulnérable. Il ajoute après un long silence :

– Au fond, je suis content que Julien soit venu vivre avec moi. Je me sens moins seul.

– Vous savez, dit-elle, on n'échappe jamais à la solitude. Moi, j'ai tout raté parce que je rêvais d'un idéal.

Il a envie de lui prendre la main, mais n'ose pas. Leurs regards se croisent, se retiennent un moment. C'est Urbain qui baisse les yeux le premier, conscient qu'il n'est pas de taille à faire face.

– Parfois, je me dis que tout est encore possible ! ajoute-t-elle.

Elle sourit en coin, pique un petit champignon du bout de sa fourchette.

Après le dessert, ils commandent le café. Urbain demande la note. Dehors la nuit est tombée, mais il reste encore au ciel une lueur blanchâtre, un peu de jour qui ne veut pas s'éteindre.

– Je peux vous reconduire.

Elle accepte.

– Je crois que je suis un peu ivre ! dit-elle en souriant.

Urbain gare sa voiture près de l'immeuble de Sophie, qui dit :

– Je n'ai pas sommeil. J'ai mis le champagne au frais. Vous venez ?

– Pourquoi pas ?

Ils montent. Chez Sophie, c'est un tout petit appartement qui ressemble beaucoup à celui d'Urbain.

– C'est bien assez grand pour moi ! dit-elle en posant des verres sur la table basse près du canapé. J'ai vécu vingt années dans une superbe maison et me voilà revenue au point de départ, comme au temps où Marc était étudiant en médecine.

– Et pourquoi avez-vous divorcé ?

Elle prend la bouteille de champagne dans le réfrigérateur et la tend à Urbain.

– Marc, mon mari, souffrait de ne pas avoir d'enfant. Je le comprends...

Urbain pense à Julien et s'en veut d'avoir accepté l'invitation de Sophie. Qu'espère-t-il de cette femme, sinon de vaines conversations qui n'apporteront rien ? Maintenant, il n'a qu'une hâte, rejoindre son fils et le regarder dormir. Il boit un verre de champagne.

– Faut que je rentre ! Julien...

Elle s'est assise près de lui et vide son verre de champagne d'un trait. Elle s'en verse un autre, boit une gorgée.

– Avez-vous déjà éprouvé la solitude du corps, celle de la peau, des sens, celle qui rend laid par manque de caresses, de chaleur, de contact ?

– Faut que j'y aille ! répète Urbain de nouveau.

– Je sais, votre fils...

– Cette soirée a été très agréable ! dit-il. J'espère qu'il y en aura une autre et je m'arrangerai pour avoir du temps.

Il se dirige vers la porte en titubant. Pourvu que Julien ne le voit pas dans cet état !

23

Martine rentre chez elle à pied. Ce début du mois de juillet est superbe. Les vacances sont là, et, après avoir attendu ces deux mois sans école, elle les redoute. Que va-t-elle faire ? Revoir Paul ? Pourquoi pas ? Elle se sent bien près de lui, trop bien, et redoute de sombrer dans l'irréparable par faiblesse, par détresse surtout. Le passé n'est pas mort et la retient encore prisonnière. Elle voudrait quitter Paris tout en sachant qu'elle n'est bien qu'ici. Sa mère lui a téléphoné hier encore, mais Martine ne veut pas aller à Étampes, où elle s'ennuie.

Armelle lui a proposé :

– Viens donc avec moi dans le Cher. Jean-Jacques ne sera là que les week-ends. On sera toutes les deux avec Carole. J'ai plein de copines là-bas. Tu vas quand même pas rester à Paris tout l'été ?

– Je ne sais pas ce que je veux ! Je vais peut-être aller à Castres voir Vincent. Il va partir au service militaire en fin d'année et je m'ennuie de lui.

– Il ne t'appelle pas ?

– Si, de temps en temps, mais si peu... Et puis il y a Julien. Paraît qu'il va entrer en apprentissage chez un ébéniste... Je ne suis pas certaine qu'il soit bien avec son père. Lui, il m'appelle tous les deux ou trois jours. C'est curieux, lorsqu'il était ici, il ne se préoccupait pas de moi... Et maintenant...

– Parfois, l'éloignement rapproche les gens ! philosophe Armelle avec un sourire mutin. Écoute, si tu te décides, tu viens. À moins que ce ne soit pour un homme que tu veuilles rester à Paris...

Martine hausse les épaules. Armelle saurait-elle déjà ce qui s'est passé avec Paul ?

– Cesse de dire des bêtises !

Après tout, Martine se dit qu'elle peut bien rester à Paris. Puisqu'elle doit mourir d'ennui, autant que ce soit en cachette.

Il fait très chaud. Elle décide de prendre une douche froide. Ce soir, elle va se préparer un petit plat, quelque chose de bon pour fêter les vacances. Mais pour elle seule, cela vaut-il la peine de cuisiner ?

La sonnerie d'entrée la surprend. Qui vient la voir à cette heure ? Elle s'habille à la hâte. La fraîcheur de l'eau lui a fait du bien.

– Je passais par là, je suis venu aux nouvelles...

C'est Paul. Le cœur de Martine accélère, le sang bat à ses tempes. Il est là, en bas. Elle s'affole. Elle voudrait qu'il s'en aille et en même temps le retenir.

– Montez..., dit-elle d'une voix hésitante.

Elle court dans la salle de bains, se coiffe à la hâte. Paul est sur le palier quand elle vient ouvrir. En chemisette bleue, le visage en sueur. Il se penche pour l'embrasser, elle sent l'odeur de sa peau mouillée, de cette sueur d'homme mêlée à un parfum d'après-rasage discret qui la trouble.

– Entrez.

– Alors, c'est les vacances ?

– Oui, et tant mieux. Je suis crevée.

– Nous, on part dimanche. Un mois en Bretagne, c'est bon pour la migraine d'Irène. Moi, j'irai pêcher la truite. Et vous, vous partez où ?

– Je ne sais pas, fait Martine.

– Oui, je passais dans votre quartier..., dit Paul, qui éprouve toujours le besoin de se justifier. Alors, je me suis dit qu'on va rester pas mal de temps sans se voir... Si nous allions dîner ensemble ?

– C'est que...

Elle hésite. Pourtant, l'été à Paris n'est pas comme ailleurs. Il n'a aucun parfum de fleur ni de fruit, il ne sent pas le foin sec ni le petit chemin creux plein de fraîcheur, l'été à Paris est charnel. Il stimule les sens, il donne des envies de caresses, invite à l'amour. On ressent le besoin de se suspendre à un bras, de prendre une épaule, de caresser une joue.

– On irait dans un bistrot du VIe que je connais bien, continue Paul. Pas à la terrasse, les gens nous regardent et je ne veux pas qu'ils nous voient. Non, à l'intérieur avec un peu de lumière, juste ce qu'il faut pour vous voir, pour vous sourire... On boira du pinot d'Alsace bien frais.

– Mais, votre femme...

Il sourit.

– En ce moment, je suis interdit de séjour à la maison pour cause de rhume des foins et, ça tombe bien, j'ai une réunion. À moins que la réunion ne soit annulée, c'est vous qui décidez.

– Une réunion ?

– Non, je n'ai pas de réunion. C'est un prétexte.

Paul a donc menti à sa femme pour rejoindre Martine ; Urbain a-t-il un jour fait la même chose ? Cette pensée la met mal à l'aise. Non, Urbain a été honnête ; il est parti quand il a estimé que ça n'allait plus entre eux. Est-ce mieux ? Peut-être pas, le mensonge évite bien des orages.

– Alors, insiste Paul. La réunion va-t-elle être annulée ?

– Non, fait Martine. Installez-vous. Je vais m'habiller.

Elle court dans la salle de bains. Au diable les remords et les questions de conscience ! Un quart d'heure plus tard, elle est prête. Paul siffle entre ses dents.

– Je vous plais ? demande-t-elle en faisant voler sa robe longue et légère autour de ses mollets.

Son corsage blanc avec des fleurs roses brodées sur le devant amincit sa silhouette. Elle s'est légèrement maquillée.

Ils sortent. Comme d'habitude, Paul a garé sa voiture en double file : il connaît quelqu'un à la Mairie de Paris qui fait sauter ses contraventions. Rue du Bac, il cherche une place, en trouve une entre deux voitures où il réussit à glisser sa petite Renault en jouant des pare-chocs.

– C'est à L'Écaille qu'on va, juste en face des Charpentiers, dont le patron est un Corrézien, comme votre mari.

Elle remarque qu'il n'a pas dit Urbain

– Un excellent restaurant spécialisé dans le poisson.

Ils prennent une table au fond de la salle. Le vin frais est délicieux. Les yeux bleus de Paul ne quittent pas Martine, qui se laisse aller. Elle a bu un verre de champagne et se sent presque heureuse. Demain, elle retrouvera sa solitude, mais ce soir elle a quinze ans ! Enfin quelqu'un la regarde avec tendresse, enfin, un homme est là près d'elle qui frôle son pied du sien. Elle flotte, comme ces grands nénuphars sur les étangs de Corrèze. La Corrèze, tiens ! Pourquoi à cet instant pense-t-elle à ses beaux-parents de Turenne ? Auguste et Éloïse ? Martine sourit.

– Ça n'a jamais très bien marché entre ma belle-mère et moi ! dit-elle. Elle est autoritaire et veut commander tout le monde...

– Ma belle-mère, fait Paul, a eu quatre filles, c'est vous dire que je suis son chouchou.

– Depuis le départ d'Urbain, poursuit Martine, mes beaux-parents me téléphonent toutes les semaines. Ils ne veulent plus voir leur fils et se sont rapprochés de moi, comme s'ils se sentaient responsables.

– Au fond, a-t-il eu tort ? Parfois, j'ai la même envie que lui et je ne le fais pas par faiblesse. Et puis on ne laisse pas une femme déprimée avec une fille handicapée.

Martine boit une gorgée de vin. Le liquide frais pique agréablement sa gorge.

– C'était devenu infernal. Urbain n'a pas supporté le chômage. Il est tellement orgueilleux... Et puis, c'est vrai, j'ai peut-être des torts.

– Les torts sont toujours partagés ! Pourquoi se poser ces questions ? Quand c'est fini, pourquoi regretter le passé ?

Martine va jusqu'au bout de sa pensée.

– Dans le cas présent, c'est moi qui ai le plus de torts. Urbain a voulu quitter la SIMA. Je l'en ai toujours dissuadé, parce que j'avais peur de perdre notre petite quiétude, notre aisance matérielle. Et puis je me disais que ça ne servait à rien de se lancer dans une aventure quand on avait tout avec facilité.

Ils se taisent un long moment, mais, ce soir, le silence n'est pas lourd entre eux. Martine mange son turbot à l'oseille. Paul la regarde et la trouve belle avec ses cheveux courts qui lui font un visage de petit garçon.

– Vous aimez encore votre mari ! constate-t-il.

Elle sourit et regarde Paul malicieusement.

– Nous avons vécu vingt-deux ans ensemble...

Elle baisse les yeux. Paul lui prend la main. Elle sent sa peau chaude, un peu moite et, près d'une phalange, les battements pressés de son cœur. Il continue :

– Je sais que c'est fou, mais pour l'instant mon plaisir est tellement grand d'être avec vous...

Le dîner est fini. Tout a été si vite ! Paul paie ; ils sortent. La nuit flotte, une nuit très légère, à hauteur de visage. Les lampadaires éclairent les rues vides. Ils marchent jusqu'à la voiture, Paul passe son bras sur les épaules de Martine qui sent ce poids brûlant et pourtant ne le repousse pas. À cette heure, ce geste lui semble naturel.

– Qu'est-ce qu'on fait ? On va chez vous ?

Elle ne répond pas et il interprète son silence comme un acquiescement. Il décoince sa voiture des pare-chocs qui la bloquaient. Les gens flânent sur les trottoirs, mais il y a peu de circulation. En cinq minutes, ils sont boulevard La Tour-Maubourg. Ils montent sans un mot. Le bruit de leurs pas résonne dans la cage d'escalier déserte. La fête est finie : Martine, en retrouvant ce lieu habituel, redevient elle-même.

Ils entrent. De la fenêtre restée ouverte viennent les éclats de voix d'un groupe de jeunes gens. Martine propose un digestif à Paul, qui accepte, et elle s'assoit à côté de lui sur le canapé. Ils se taisent un moment, puis tout d'un coup, avec une certaine brutalité, Paul la prend dans ses bras, la serre, tandis que ses mains maladroites et fébriles courent sur le corps légèrement vêtu de Martine, touchent ses seins. Elle le repousse.

– Arrêtez...

Mais Paul n'arrête pas. Martine sent les lèvres de l'homme sur son cou, son visage, ses lèvres. Elle se dégage.

– Non, je ne peux pas !

Il se reprend, se dresse en face d'elle, la chemisette déboutonnée, les cheveux en bataille, le regard désemparé.

– Mais Martine...

– C'est comme ça ! Maintenant, il faut que vous partiez.

– Je vais en crever ! dit Paul.

Elle lui caresse la joue puis promène la pointe de ses doigts sur la poitrine couverte de poils sombres.

– Faut pas m'en vouloir.

– On se revoit quand ?

Elle hausse les épaules. Il se dresse lourdement et se dirige vers la porte. Quand il est parti, Martine regarde autour d'elle : les bibelots qui sont autant de souvenirs d'Urbain, une photo des garçons posée sur la commode. Paul peut-il comprendre qu'elle est au fond d'un puits aux parois lisses et que toutes ses tentatives pour en sortir sont vouées à l'échec ?

Elle va s'allonger sur son lit, une longue nuit d'insomnie commence. Le lendemain, fatiguée, la tête lourde, elle va au marché, plus pour se trouver au milieu de la foule que pour acheter quelque chose.

À midi, tandis qu'elle est en train de préparer un avocat à la vinaigrette, le téléphone sonne. Paul ? Non, c'est Éloïse, sa belle-mère.

– On s'est dit, avec Auguste, que vous alliez être bien seule à Paris..., fait la femme de sa voix rauque.

Alors Auguste m'a dit : téléphone-lui, elle peut venir à la maison.

Martine sourit. Cette invitation la remplit de joie. Elle doit aller voir Julien à Clermont-Ferrand, mais ça peut s'arranger.

– Eh bien, c'est d'accord ! dit-elle.

– Bon, fait la grosse voix. Auguste ira vous attendre à Brive. Vous arrivez quand ?

Ce qui agaçait tant Martine autrefois l'amuse maintenant, cette manière qu'a Éloïse de tout faire passer par Auguste alors qu'elle seule commande.

– Je viendrai à la fin du mois.

– C'est Auguste qui va être content !

24

Lundi 3 juillet au matin, Julien se rend pour sa première journée de travail chez Robert Commont, ébéniste dont l'atelier et la maison se trouvent à deux pas des usines Michelin. Il s'y rend avec un peu d'appréhension, mais aussi l'espoir d'y apprendre un métier qui le hausserait au niveau des autres. Son corps est guéri de la drogue, mais pas sa tête, qui rêve encore de cet eldorado sans peurs et plein de certitudes. Il espère que le travail du bois lui changera les idées.

M. Commont est un colosse au visage carré. Sa voix tonne dans l'atelier et domine le miaulement des machines. Annie, sa femme, s'occupe de la comptabilité et du secrétariat dans un bureau minuscule. Près de cet homme sûr de lui, Julien est mal à l'aise et baisse les yeux.

– Ici, c'est la réserve de bois, commence Commont. Là, du noyer de première qualité. Tu peux remarquer les veines qui forment des lignes légères comme de la fumée. De la ronce de noyer, c'est-à-dire la racine principale. Ici, le merisier, tout du bois local...

Ils entrent dans l'atelier où flotte une agréable odeur de sciure. Julien s'attarde devant une commode avec ses portes aux belles moulures blondes.

– La scie à découper, le tour, la raboteuse..., continue l'artisan. Mais la marqueterie se fait toujours à la main, et au coup d'œil. Trop de machines tuent le boulot. Bien sûr, tu peux faire du meuble industriel dans des bois blancs, du hêtre ou du frêne que tu teintes en faux noyer, mais pas de ça ici. Moi, je vais t'apprendre le vrai boulot, celui d'un artiste.

L'homme baisse sa tête de lutteur, ses yeux s'arrêtent sur le pantalon de Julien.

– Dis donc, tu as déchiré ton pantalon au genou ?

– Non, c'est la mode !

L'autre se dresse, énorme, en face de lui.

– La mode ? Celle du riche qui se déguise en pauvre ! Il faut bien que vous soyez cons, les jeunes, pour faire une mode avec de la misère. Une mode de petits-bourgeois qui ne savent pas ce que gagner sa vie veut dire ! Si les jeunes, on les menait un peu plus à la dure, comme de mon temps, ils n'iraient pas se droguer ! Allez, au boulot !

Le ton a changé. Julien regrette maintenant d'avoir pris ce jean déchiré. Commont poursuit :

– Bon, eh bien, tu vas commencer. Le sens du bois, ça vient avec le temps, en touchant du bois, en regardant du bois. Tu vas donc placer ces madriers de noyer dans ce coin, mais pas n'importe comment. Tu intercales ces lattes tous les mètres, sinon ça travaille et ça se tord.

Le tas est énorme et Julien ne sait pas comment s'y prendre. Pourtant il ne pose pas de questions. M. Commont va dans l'atelier où une raboteuse se met à miauler. Au bout d'une demi-heure, il revient, inspecte les planches que Julien a disposées à même le sol, met les mains sur les hanches. Son regard se durcit.

– Mais tu te fous de moi ?

Julien ne bronche pas. Il regarde ses chaussures et les planches qu'il a tenté de ranger comme Commont le lui avait dit.

– Franchement, tu as quoi dans ta tête ? Tu crois qu'elles vont sécher, comme ça ?

Julien tremble. Cette énorme colère qui monte parfois en lui, qui lui donne envie de crier, de tout casser, l'aveugle.

– Je savais pas, moi ! dit-il d'une voix rayée, agressive.

L'homme s'approche de lui.

– Toi, il va falloir que je te mette au pas ! Je l'ai vu tout de suite avec tes yeux qui fuient et tes cheveux qui tombent dans ta figure... Je crois que je vais te corriger une bonne fois pour toutes. Tu as du pot, ce matin, je suis de bonne humeur. Alors, puisque tu sais pas faire, je vais te montrer, mais une fois seulement. Ouvre bien tes yeux.

L'homme déplace les planches, dispose des lattes puis pose les madriers, vérifie qu'ils sont bien à plat.

– Tu comprends que le moindre porte-à-faux suffit à les voiler. Après, tu ne peux plus rien en faire. À toi, maintenant, et gare !

Julien a compris, mais ça l'agace. Pourquoi bien faire un travail pour lequel Commont ne lui dira même pas merci ? Il est ici pour apprendre un métier, pas pour faire le tâcheron. Il avait imaginé un travail dans l'atelier, à caresser des moulures bien poncées, à ajuster des pièces, alors qu'il est là, dans le hangar, à entasser des morceaux de bois. Une heure plus tard, Commont revient et regarde le boulot. Il dit :

– C'est fait en dépit du bon sens. Pour devenir un bon ébéniste, il faut d'abord savoir s'occuper de son bois ! Allez, tu défais tout ça et tu recommences jusqu'à ce que ce soit impeccable !

Julien ne bouge pas. Déplacer de nouveau ces planches trop lourdes pour lui semble une épreuve insurmontable.

– Alors ? fait Commont, dont la voix prend du volume.

De sa large main, il pousse l'adolescent, qui fait face.

– Ça m'emmerde, votre boulot !

L'homme s'approche de Julien, une montagne prête à l'écraser.

– Dis donc, toi, tu as appris la politesse où ? Tu veux parler plus fort que le patron ? Tu as toujours eu la bouche pleine, alors ça te donne des idées !

Il s'éloigne. Julien s'est assis. Il se sent méprisé, repoussé par cet homme qui ne sait faire que des reproches. Non, il ne va pas ranger ces planches ; ce ne sont pas les siennes. Une fois ce travail idiot terminé, Commont en trouvera un autre et Julien ne veut surtout pas être un larbin.

De son petit pas pressé, Mme Commont arrive. Son front est haut, ses joues sont si pâles qu'on dirait la tête d'une poupée de porcelaine.

– M. Commont est en colère contre vous, dit-elle. Il ne comprend pas que vous ne fassiez pas ce travail. Ce n'est pas un mauvais homme, M. Commont, mais il n'aime pas qu'on le contrarie.

Julien ne répond pas. Il baisse toujours la tête. Sa mèche roule sur sa joue.

– J'ai tout de suite vu que vous étiez un garçon sensible, continue la femme. J'ai vu aussi dans vos yeux que vous étiez un gentil garçon.

Toujours le silence de l'adolescent. Il entend pourtant les paroles de Mme Commont. Une voix simple, douce, qui coule comme une eau fraîche sur le feu de sa blessure.

– Je suis sûre, continue la femme, que vous avez très bien compris ce que vous a dit M. Commont et que vous ne le faites pas parce qu'il vous a parlé un peu fort et que vous, comme lui, vous n'aimez pas ça.

Elle s'éloigne, puis se retourne.

– M. Commont est comme un animal sauvage. Il faut l'apprivoiser et après vous le ferez manger dans votre main. Si vous voulez apprendre un beau métier, il faut accepter ces petites épreuves. À votre place, je rangerais le bois parce que de se rebeller, ça n'a jamais rien appris à personne.

Elle s'en va, légère, aérienne, une apparition. Dans l'atelier la raboteuse fait un bruit strident. C'est là-bas qu'il voudrait être, Julien, à regarder le bois neuf et propre sortir des machines. La musique de la voix de Mme Commont est encore en lui, apaisante et douce. Alors, il se met au travail, déplace le bois, dispose les cales. Il va montrer à cet « animal sauvage » que le petit Julien n'est pas plus bête qu'un autre et qu'il suffit de bien lui parler pour tout obtenir de lui. Une heure plus tard, M. Commont vient inspecter le travail. Ses petits yeux noirs brillent.

– Bon, tu vois que c'est pas compliqué. Maintenant, viens avec moi dans l'atelier.

L'atelier, enfin. Julien sent cette odeur de bois coupé ; une fine poussière pique les yeux et dessèche agréablement la gorge. Un jeune homme arrive, en polo et short, chaussettes blanches de tennis et baskets. Il ressemble beaucoup à son père par sa corpulence et à sa mère par la pâleur de son visage.

– Bonjour, papa !

Le jeune homme regarde Julien.

– C'est ton apprenti ?

Julien croit percevoir du dédain dans cette voix claire et gaie. Il rougit, baisse les yeux. Apprenti ! N'est-ce pas aussi bien que de passer ses journées dans une école où tout est artifice, poudre aux yeux ?

– Oui, dit M. Commont. Il a un peu la tête dure. Mais je m'en arrangerai !

Puis, se tournant vers Julien, il dit avec fierté :

– C'est Raphaël, mon fils. Il prépare une école d'ingénieurs !

Julien aurait dû s'en douter, Raphaël ressemble un peu à Vincent. Le garçon traverse le jardinet éclatant de soleil et s'éloigne dans la rue. Pour lui, la vie est belle, pleine de promesses, un métier intéressant, du pouvoir sur les autres, de l'argent, tout ce que Julien n'aura jamais.

– Je vais te donner un autre boulot. Tu vas déménager ce parquet. Tu prends les planches, tu en fais des paquets de dix de la même taille. Tu les attaches avec cette ficelle et tu les ranges dans ce coin, à l'étage. C'est pas compliqué, un singe pourrait le faire. Allez, au boulot !

Voilà qu'on le compare à un singe ! Il va de nouveau faire un travail sans intérêt. Julien sera toujours de la race des esclaves, ceux qui courbent le dos et accomplissent les tâches ingrates. Non, il n'accepte pas.

M. Commont travaille un pied de table au tour ; l'outil que l'homme tient solidement des deux mains découpe des rubans de bois clair. Par moments, l'artisan lève les yeux sur Julien.

– Dis donc, tu vas t'y mettre un peu !

Une lampe rouge s'allume dans la tête de l'adolescent. Chaque ordre du patron lacère son amour-propre à vif. Depuis toujours, on le traite en inférieur ; dans sa famille, d'abord, où il n'y avait d'éloges que pour Vincent, et maintenant ici. La malédiction le poursuit et il n'a pas d'issue.

M. Commont sort chercher du bois dans le hangar. En un clin d'œil, le garçon a tout vu, son blouson près de la porte qu'il prend avec la rapidité d'un chat et le voilà dans la cour. Le portail est fermé, il l'escalade d'un bond leste. La chaleur est torride. Pas un souffle de vent dans les rues, des nuages se tassent sur le Puy de Dôme et préparent un orage pour la soirée. Julien marche très vite. La faim le tenaille, il va aller Au Crapouillot. Pourquoi les menaces, les paroles tonitruantes de Jeanine sont les seules à ne pas le révolter ?

Jules le salue en clignant des yeux à la lumière intense.

– Tiens, le Julien ! Qu'est-ce que tu fais ici ? Ton père t'a foutu à la porte ?

– Non, c'est lui qui m'a dit de venir déjeuner. Il n'est pas là aujourd'hui !

– Eh bien, entre, garçon. Méfie-toi, Jeanine est plutôt de mauvaise humeur. Alors, fais attention à ce que tu vas dire !

Ils rient tous les deux. Ici, personne n'écrase Julien, il ne se sent pas méprisé, ni rejeté. Jeanine arrive de la cuisine. Elle fronce les sourcils.

– Mais qu'est-ce que tu fous ici ? Regarde-moi ça, tu ressembles à un cornichon qui n'a pas eu sa ration de vinaigre ! Ton père n'est pas là ?

– Non, c'est lui qui m'a dit de venir déjeuner chez vous.

– C'est bien sûr ?

Julien baisse la tête pour ne pas avouer son mensonge. Stéphanie traverse la salle et lui sourit.

– Bonjour ! dit-elle. Te voilà parmi nous ?

– Ben oui ! fait maladroitement Julien, écarlate.

Jeanine intervient.

– Toi, à la cuisine, petite dévergondée !

Puis, se tournant vers Julien :

– Gare à toi si je te revois lui conter fleurette !

– Voyons, fait M. Leroux en entrant, Jeanine, vous oseriez contrarier une inclination aussi pure qui se lit sur le visage de ces deux jeunes gens ?

– Ah, vous, avec vos salamalecs !

Elle regarde Julien avec plein de soupçons dans ses yeux rouges de lapin.

– Attends un peu, gamin. Si tu m'as monté le coup, tu t'en repentiras ! Bon, passe à table. La cuisine de Jeannot ne supporte pas d'attendre.

Julien s'assoit à côté de M. Leroux et de Rachid. Jules s'est approché pour bavarder un peu, mais Jeanine le rappelle à l'ordre et il s'éloigne de son pas mécanique.

À la fin du repas, Julien prend congé de tout le monde. Stéphanie s'est arrangée pour se trouver devant la porte.

– Au revoir ! dit-elle à Julien avec un sourire plein de grâce.

– Au revoir ! dit Julien, toujours aussi mal à l'aise.

Il revient vers la rue de M. Commont, puis, redoutant de se faire malmener par l'ébéniste, décide de rentrer chez lui, le cœur léger rempli du sourire de Stéphanie. Son père est là ; le visage dur, il dit d'une voix qui se veut calme, mais que la colère fait trembler :

– Il a encore fallu que tu fasses des tiennes. D'où viens-tu ?

– Du Crapouillot.

– M. Commont m'a téléphoné au bureau. Tu t'es enfui à la première remarque ?

– C'est un con !

Urbain est blême. L'image de Sophie Lartigues qu'il a encore vue hier au soir traverse son esprit. Il éprouve le sentiment d'être coupable d'avoir laissé Julien seul pour cette femme. Alors, les lèvres serrées, il se fait conciliant.

– C'est vrai qu'il s'y prend très mal pour t'intéresser, mais c'est le premier jour.

– Je veux plus allez chez lui.

– Écoute, Julien, il faut bien que tu fasses quelque chose. Retournes-y, peut-être que ça va s'arranger. D'ailleurs, je vais lui parler.

Julien pense au sourire de Stéphanie. Demain, il partira plus tôt et il ira l'attendre près du bistrot. Son père continue :

– Peux-tu comprendre à quel point je me fais du souci pour toi ? Si on fait un effort tous les deux, ça peut très bien marcher.

Julien lève la tête vers son père, qui soutient son regard. Pour une fois, le jeune homme n'y voit aucune condamnation, mais un grand désarroi qui lui chauffe le cœur.

– Je vais retourner chez Commont ! dit-il.

Alors, Urbain est si heureux qu'il pose les mains sur les épaules de son fils et le regarde avec un sourire tendre.

– Je vais t'emmener. S'il y a le moindre problème, on en parle tous les deux et on trouvera des solutions. D'accord ?

– D'accord.

Le soir, Urbain a de nouveau rendez-vous avec Sophie. Il s'en veut, mais ne peut pas s'empêcher de rejoindre cette femme avec qui il oublie la précarité de sa situation. Ils vont dîner dans un restaurant près de la cathédrale. Comme chaque fois, il boit beaucoup, s'étourdit de paroles et parle surtout de Julien, de cette façon nouvelle qu'ont les jeunes gens de tout vouloir et de refuser l'autorité des anciens.

– C'est certainement notre faute ! précise Sophie. Les enfants ne sont que ce qu'on les fait.

Après le dîner, ils rentrent chez Sophie boire du champagne. C'est elle qui prend l'initiative de poser la tête sur l'épaule d'Urbain. Alors, il ose se laisser aller à son désir et découvre avec maladresse ce qu'il n'avait jamais soupçonné, l'amour sans barrières bien différent de l'acte banal qu'il faisait avec Martine où rien ne changeait d'une fois à l'autre. Vers trois heures du matin, il rentre chez lui, l'esprit illuminé par un sentiment neuf qui gomme ses soucis.

Les jours suivants, il ne vit que pour cette liaison qui l'accapare tout entier. Dans la journée, M. Demet le surprend en train de sourire aux anges et lui fait une remarque. Il s'en moque, une seule chose compte, l'heure où il va rejoindre Sophie. Il court fébrilement à ces rendez-vous à l'autre bout de la ville. Jusqu'au dernier moment, tout peut arriver et il attend sa maîtresse avec une angoisse profonde, un désir tel que, si elle ne venait pas, le monde s'arrêterait pour lui. Il s'en oublie lui-même et c'est ce qu'il veut.

25

Juillet. Le mois de l'ennui. Paul en Bretagne avec sa femme et sa fille, Paris est devenu un désert. Martine avait plein de projets. Elle voulait aller voir Vincent à Castres, puis passer quelques jours chez ses beaux-parents avant de rejoindre Armelle dans le Cher. Finalement, elle reste à Paris. Prendre la moindre décision lui coûte.

Julien l'appelle régulièrement. Il lui a parlé de son patron un peu rude, mais il s'y fait. Martine connaît trop bien son fils pour savoir qu'il ne dit pas tout. Elle a envie de le voir. Elle demande les horaires du T.G.V., et lui propose de le rejoindre le week-end du 14 Juillet. Cette visite tracasse Urbain, qui essaie de ne pas le montrer.

– Elle dormira où, maman ?

Julien prend un air étonné.

– Mais ici, pourquoi ?

– Mais enfin, tu n'y penses pas, Julien ! fait Urbain, qui n'a qu'une envie, s'inventer un motif pour fuir Clermont-Ferrand pendant ces trois jours.

– C'est vrai que vous êtes séparés ! dit Julien en faisant la moue.

Le jeudi 13 juillet, Martine prend le train à la gare de Lyon. Elle aussi redoute de voir Urbain. Que vont-ils se dire ? Tout se bouscule dans son esprit, se choque, pourtant ce voyage est celui d'un espoir insensé.

Julien l'attend sur le quai. Martine le trouve grandi et toujours aussi maigre. Son visage a changé ; ses joues se sont creusées mais ont pris de la couleur. Elle l'embrasse, il est obligé de se baisser, Tiens, la boucle d'oreille a disparu et sa mèche de cheveux s'est raccourcie. Quels drames ces transformations cachent-elles ?

– Papa est à son bureau.

Martine se tait. La présence d'Urbain dans cette ville est écrite partout, sur les maisons voisines, ce quai de gare, ces couloirs où marchent des voyageurs pressés.

– Je ne sais pas ce qu'il trafique ! continue Julien. Je l'ai vu plusieurs fois avec une femme... Pas mal, d'ailleurs !

– Qu'est-ce que tu dis ?

Martine vient de recevoir un coup de massue sur la tête.

Julien a un sourire malicieux.

– Je les ai vus ensemble au restaurant !

– C'est peut-être pour son travail.

Martine a très mal. Que fait-elle ici, devant cette gare de province ? Qu'allait-elle s'imaginer, s'inventer pour échapper à sa condition de femme abandonnée ?

– Et toi, comment ça va ?

L'adolescent sourit.

– Ça va bien. Très bien, même.

C'est la première fois qu'elle entend de tels mots dans la bouche de Julien. Elle en est heureuse, mais sa joie est voilée par cette révélation : Urbain a une autre femme ! Non, ce n'est pas possible. Ils rentrent boire un rafraîchissement dans une brasserie. Martine précise :

– Tu diras à ton père que je n'ai pas envie de le voir. D'ailleurs, j'ai réservé à l'hôtel.

Julien dit d'un ton bourru :

– Vous êtes vraiment des caves, tous les deux !

Finalement, Martine ne reste pas trois jours. La chaleur de cette ville inconnue l'accable. Elle dort mal, fait d'incessants cauchemars. Elle repart le samedi, ce qui déçoit Julien.

– On se verra à Turenne, dans quinze jours ! précise-t-elle. C'est promis.

Martine n'a qu'une hâte, fuir ces rues, ces trottoirs où elle dévisage les passants, ces voitures où elle croit voir Urbain dans chaque homme chauve au volant d'une Clio noire. Désormais, le fossé est bien creusé, Armelle a raison, il faut tourner la page. Alors, elle pense à Paul et son malaise est encore plus grand...

Elle rentre à Paris. Rejoindre Armelle dans le Cher ou ses beaux-parents en Corrèze comme elle l'avait prévu ne la tente plus. Elle avait espéré un miracle et se sent plus seule que jamais : l'espoir est mort. Une lettre de Paul l'attend dans sa boîte. Elle l'ouvre fébrilement. Paul explique qu'il va à la pêche tous les matins, qu'il fait chaud, très chaud. « La Bretagne sous le soleil, c'est magnifique et l'été est particulièrement beau, cette année. » À la fin de sa lecture, Martine lève les yeux au plafond, perplexe. Ce soir, elle écrira à Urbain, mais pour lui dire quoi ?

Elle passe plusieurs heures à rédiger cette lettre, une façon pour elle d'exorciser le pénible constat du voyage à Clermont-Ferrand. Ce n'est pas à Urbain qu'elle écrit, mais à elle-même et de la pire manière. « Merci de ne pas être venu me voir pendant mon séjour à Clermont-Ferrand, précise-t-elle. À ce propos, il faudra qu'on revoie notre situation. J'ai quelqu'un et je voudrais construire quelque chose de sérieux avec lui... » Ce mensonge lui paraît odieux, pourtant elle va poster la lettre. Puisqu'ils en sont à se griffer, les lamentations ne servent plus à rien. Martine a touché juste : Urbain lui répond par retour du courrier. « C'est sûrement à cause de ce quelqu'un que tu as négligé ton rôle de mère auprès de tes enfants. Qu'est-ce qui me prouve que ce quelqu'un n'existe pas depuis longtemps ? » Une fois de plus, elle s'en veut, se traite d'idiote et se réfugie dans les larmes en écrivant une lettre brûlante qu'elle n'enverra pas : « Je t'ai menti, Urbain, il n'y a jamais eu personne d'autre que toi et ton absence me tue. Si je n'ai pas voulu te voir à Clermont-Ferrand, c'est par orgueil et parce que j'avais peur de manquer de force et de paraître stupide aux yeux du seul homme qui compte dans ma vie, le père de mes enfants... »

Le soir même elle téléphone à Turenne pour annoncer son arrivée.

– C'est Auguste qui va être content ! dit Éloïse.

Le lendemain, elle prend le train pour Brive où Auguste, la casquette baissée sur le front, l'attend devant la gare. Il l'embrasse avec effusion.

– Ça fait tellement longtemps qu'on ne vous a pas vue !

Pour venir à Brive, il s'est rasé avec soin. Sa moustache est nette sous son nez sec et long. Il est chauve, comme son fils, ce qui ne l'empêche pas de s'asperger le crâne d'eau de Cologne.

Dans la voiture, une antique Renault 12, il parle d'Urbain, sa honte.

– Je lui ai dit ma façon de penser. Qu'est-ce qui lui a pris, hein ? C'est pas parce qu'il avait perdu son travail qu'il devait s'en aller. Et vous et ses enfants ? Enfin, un homme ne fait pas ça ! Un homme de notre famille, en tout cas, parce qu'on a de l'honneur, nous !

En arrivant à la petite maison dominée par l'énorme donjon qui surplombe toute la campagne, Auguste change de ton : Éloïse l'avait chargé de rapporter des bocaux pour les conserves de haricots verts et il les a oubliés.

– Si ç'avait été pour aller au bistrot, fait Éloïse de sa voix d'homme, tu aurais eu plus de mémoire !

Puis, se tournant vers Martine qu'elle inspecte d'un regard sévère :

– Et vous, ma pauvre fille ?

Martine est heureuse. À travers ses beaux-parents, c'est un peu Urbain qu'elle retrouve. Sa belle-mère lui parle avec une gentillesse qui ne lui est pas habituelle.

– Ma pauvre fille, continue la forte femme, ça m'a secouée. Quand j'ai appris qu'il était parti, j'ai bien cru mourir. Et, tant qu'il n'est pas revenu avec vous, je ne veux plus le voir.

Martine passe à Turenne quelques journées d'oubli. Elle aide sa belle-mère à cueillir les haricots verts, fait de longues promenades seule l'après-midi ou lit dans la cour, sous le tilleul, en écoutant les cigales.

Julien arrive le 4 août. Pour la première fois, les vacances en Corrèze lui pèsent. Il aurait voulu rester à Clermont-Ferrand pour continuer d'épier Stéphanie, de s'inventer une histoire avec cette fille qu'il n'a jamais osé aborder ; d'ailleurs, c'est mieux comme ça, un refus tuerait ses rêves. Ses sourires en coin lui suffisent.

Très vite, le jeune homme renoue avec ses habitudes des vacances précédentes. Il ne quitte pas son grand-père, le suit à la pêche et au bistrot. À Turenne, rien n'est comme ailleurs, Julien retrouve des copains qu'il ne voit qu'une fois par an et il a sur eux l'avantage d'être parisien. Ça suffit pour l'imposer.

Martine décide de rentrer le 16 août à Paris. Le temps change, les nuits sont plus fraîches, c'est déjà l'automne.

Ce départ contrarie Éloïse et Auguste. Martine explique qu'elle a du travail, qu'elle veut préparer tranquillement la rentrée. Julien, aussi, est contrarié, mais il va bientôt partir à son tour et il est impatient de revoir Stéphanie.

Martine arrive à la gare d'Austerlitz vers dix-huit heures et rentre chez elle en métro. Son appartement sent le renfermé, et cette curieuse odeur qui se répand dans l'air que personne ne respire. Des cadavres de mouches jonchent le carrelage. Elle ouvre les fenêtres en grand, balaie, époussette la poussière des meubles. Paul a laissé plusieurs messages sur le répondeur dont elle a changé le code d'accès avant son départ pour qu'Urbain ne puisse pas le consulter. Paul lui demande de l'appeler le plus vite possible au ministère, ce qu'elle fait alors qu'elle avait décidé un mois et demi plus tôt de ne plus le voir.

– Je passe te voir ce soir ! dit-il de cette voix dont Martine retrouve le timbre avec plaisir.

Il arrive comme convenu, vers huit heures. Martine a eu le temps de prendre un bain et de se préparer. Elle est heureuse de retrouver Paul, ou plutôt une véritable présence, malgré ce sentiment désagréable de ne pas savoir ce qu'elle veut, de partir à la dérive, comme un bateau sans quille.

Paul a le visage hâlé comme s'il revenait du Midi. Il a un peu grossi et s'en explique.

– Avec les voisins et la famille... On va chez les uns, chez les autres, tu sais ce que c'est ! Et, puisqu'il ne faut pas perdre les bonnes habitudes, je t'emmène dîner !

Il rit. Martine rit aussi. Ils retournent à L'Écaille et prennent la même table qu'au mois de juin. Paul parle des déchets nucléaires dont on ne sait que faire. Martine ne cherche pas à comprendre ce qu'il dit ; elle se laisse bercer par sa voix et se contente de petits mouvements de tête pour acquiescer, ce qui relance cet infatigable bavard.

– Bon, dit-il en guise de conclusion, toutes ces menaces ne doivent pas nous empêcher de vivre. Allez, parlons d'autre chose.

Il lui prend la main et la porte à ses lèvres. Martine est ivre. Elle pense à Urbain et à cette femme dont elle n'a rien pu savoir malgré les questions posées à Julien, cet été. C'est un peu comme si, avec Paul, elle reprenait ce qu'une autre lui a volé avec son mari.

– Martine, si tu voulais, je serais le plus heureux des hommes.

– Paul, je t'ai dit que je ne voulais pas d'une liaison clandestine.

Il la regarde dans les yeux, bien en face.

– Justement, j'ai réfléchi. Nous ne vivrons pas dans la clandestinité.

– Tais-toi, je te dis.

La fin du repas et le moment de rentrer, qu'elle redoute, arrivent. Paul ne plaisante plus et se tait. Dans l'appartement, ils s'assoient sur le canapé et Paul se verse un cognac. Martine cache mal son trouble et, quand il l'attire contre lui, elle ne le repousse pas. Elle se noie dans cette étreinte, s'y oublie complètement. Elle se donne à ce corps d'homme qui la retient prisonnière. Leur étreinte est brève, comme s'ils en avaient honte l'un et l'autre, puis ils sombrent dans une sorte de léthargie, un sommeil fiévreux. Vers une heure du matin, Paul regarde sa montre.

– Faut que j'y aille ! dit-il.

Il allume la lampe de chevet et rajuste ses vêtements. Martine prend brusquement conscience de ce qu'elle vient de faire. Elle a donné une victoire facile à cet homme par dépit, espérant enfin se débarrasser de ce sentiment de jalousie et d'abandon et ne garde que dégoût de cet amour mal fait qui ne lui a procuré aucun plaisir. Une tache indélébile salit désormais sa vie, comme un tatouage sur sa peau. Quand Paul est parti, elle passe dans la salle de bains, se douche comme pour se laver de la souillure de cet acte raté. Alors, après s'être bien essuyée, très calme, elle compose le numéro du bureau de Paul pour avoir sa boîte vocale et dit : « Paul, c'est moi, il est trois heures du matin et je ne dors pas. Il ne faut plus jamais qu'on se voie. Nous allons nous abîmer, nous détruire. Je t'en supplie, n'essaie pas de me revoir. D'ailleurs, je ne t'ouvrirai plus la porte. »

C'est dit sans regret, avec la froideur d'une totale détermination. Martine n'est pas faite pour plusieurs amours, c'est ainsi. Il y a eu Urbain, elle a voulu se protéger du désespoir et croire que la vie était possible sans lui, elle n'a fait que s'enfermer un peu plus. La voilà définitivement seule.

26

Julien a retrouvé M. Commont et son atelier, ses piles de bois qu'il faut inlassablement déplacer. Cet homme a la manie du rangement, mais maintenant il le laisse aussi travailler à l'atelier et le jeune homme y prend beaucoup de plaisir.

– C'est que t'es pas maladroit, a dit l'artisan en le regardant ajuster les moulures d'un tiroir. Je crois que je ferai de toi un ébéniste !

Ça va mieux entre eux. M. Commont parle toujours aussi fort, mais il n'y a plus de menace dans sa voix et Julien ne le provoque plus. Le côté délicat, un peu féminin du jeune homme a finalement séduit le colosse.

– Tu as des doigts fins et longs, dit-il. Des doigts pour le bois.

C'est vrai que Julien se découvre une passion pour ce travail manuel, lui qui ne s'était jamais servi de ses mains. Il aime le beau bois, le poncer jusqu'à enlever tous les défauts des pièces de noyer qu'il ajuste ensuite. S'il pense encore à la drogue, ce n'est que l'instant d'un éclair, vite oublié.

Mme Commont vit enfermée dans son minuscule bureau, d'où elle ne sort pas souvent. Parfois, elle vient fureter à l'atelier de son pas de souris et bavarde un petit instant avec Julien, qu'elle appelle « mon petit ».

– Je vous avais dit que M. Commont est un animal sauvage, dit-elle un jour. Vous voyez que maintenant il mange dans le creux de votre main comme un toutou !

De telles paroles réconfortent le jeune homme et, souvent, le samedi, jour de congé, il revient à l'atelier.

– M. Commont m'apprend la marqueterie ! dit-il à son père. C'est chouette.

Urbain observe son fils : ses épaules se sont musclées, son visage est désormais celui d'un homme, quelques poils blonds hérissent son menton. Ses yeux bleus expriment une joie de vivre qui met Urbain mal à l'aise.

– J'étais pas fait pour l'école ! poursuit Julien. J'ai toujours voulu bricoler, mais, toi et maman, vous considérez que le travail manuel c'est dégradant. Au moins, ici, je m'éclate ! Et toi, tes boîtes de conserve ?

– Je peux pas dire que je m'éclate vraiment !

Quand il est libre, Julien va voir Stéphanie. Il l'attend près du Crapouillot et la suit en cachette ; pourtant, ce petit jeu du chat et de la souris ne lui suffit plus. Un samedi, il décide de se montrer et marche à sa rencontre. La jeune fille lui sourit de ce doux sourire du tableau, avec un léger voile dans le regard.

– Ah, Julien, c'est toi !

– Oui, je passais par là. Tu as fini ton travail ?

– C'est la pause jusqu'à six heures. Au fait, merci pour ta carte postale. J'ai pas pu te répondre, j'avais pas ton adresse.

C'est vrai, Julien n'avait pas mis son adresse pour éviter d'être déçu par une réponse qui ne serait pas venue. Il dit en rougissant :

– Si tu as le temps, on peut se promener un peu, tous les deux.

Ils passent l'après-midi ensemble. Julien se vante un peu en disant qu'il est capable de fabriquer une commode sans l'aide de M. Commont. Il parle aussi de ses parents, de leur séparation. Au moment de se quitter, Stéphanie lui dit :

– C'était très bien ! On se revoit ?

– Oh oui ! fait Julien en rougissant.

Stéphanie l'embrasse sur les deux joues et ajoute :

– C'est vrai que tu es beau !

Jamais Julien n'a été aussi heureux. En rentrant chez lui, il a envie de chanter, de siffler. Sa carapace de solitude vient de se briser. Enfin, il existe, enfin, il est beau ! Ça vaut bien la souffrance endurée pour se débarrasser de ses mauvaises habitudes et du sordide souvenir de Barbara.

Un soir, il apprend de sa mère que Matthieu Jiens et tout son réseau de revendeurs de drogue ont été arrêtés. Le cours Laurent a été fermé pendant une semaine.

– Un scandale qui va avoir de lourdes conséquences ! précise Martine. La plupart des parents parlent de placer leurs enfants ailleurs.

Julien laisse éclater sa joie.

– Tu vois que j'ai bien fait de quitter Paris !

– De toute façon, tu ne seras pas inquiété. Tu n'as rien à voir avec ces histoires.

– Les flics peuvent venir m'interroger. Je n'ai plus rien à cacher !

À la maison, Urbain le laisse de plus en plus souvent seul. Le soir, il va rejoindre Sophie, mais Julien se débrouille. Il se prépare un sandwich qu'il mange en regardant la télévision et en adressant des sourires au tableau. Trois midis par semaine, le père et le fils vont Au Crapouillot. Un jour, Jeanine regarde Urbain avec insistance.

– Vous, vous changez ! dit-elle. Mais pas en bien.

– Ah bon ? s'étonne-t-il. Qu'est-ce qui vous fait dire ça ?

– Votre tête et votre regard qui ne sont plus les mêmes.

Peut-être a-t-elle raison. Après l'euphorie des premières semaines, sa liaison ne lui fait plus oublier la précarité de sa situation. Alors, il pense à son ami Serge, cloué sur son fauteuil de grabataire, et s'en veut de ne pas être retourné le voir, mais à quoi bon ?

De son côté, Julien ne vit que pour Stéphanie. La jeune fille illumine chaque jour qui passe. M. Commont le surprend en train de rêver, le ramène rudement à la réalité.

– Eh bien, Julien, voilà que tu gobes les mouches !

Il pense au samedi suivant, compte les jours et les heures. Stéphanie sera en congé et ils vont passer toute la journée ensemble. Julien annonce la nouvelle à son père.

– Je crois que samedi je vais aller me balader !

Urbain est dans la salle de bains en train de se raser.

– Ah bon ? Et tu veux aller où ? Tu ne connais personne !

– Je veux faire une grande balade à pied jusqu'au sommet du Puy de Dôme pour voir les deltaplanes. Je vais peut-être me payer mon baptême...

Urbain tourne sa tête aux joues couvertes de mousse.

– Tu n'as pas peur sur ces machins ? Je ne sais pas si c'est très prudent.

– Bah, il en vole tous les jours des centaines et tu n'entends pas parler d'accident ! Moi, il me semble que ça me plairait.

– Si ça peut te faire plaisir...

Urbain est de mauvaise humeur. Cet après-midi, Hugues Demet lui a fait une remarque qui s'est plantée dans son amour-propre comme une flèche empoisonnée.

– Vous savez, M. Viallet, je ne vois pas pourquoi je vous déclarerais comme cadre. Vous ne faites qu'un travail d'exécutant.

– Mais Arlette, qui travaille avec moi, est bien...

– Ce n'est pas la même chose.

Les bonnes grâces du début ont cédé la place à plus de distance. Hugues est le patron et le montre. Il a su très rapidement remettre Urbain à sa place d'employé que, par habitude ancienne, il avait tendance à outrepasser et lui faire comprendre qu'il devait s'en tenir à son seul travail. Ce malaise grandissant se répercute de plus en plus dans ses relations avec Sophie qu'il voit tous les jours, souvent à la sauvette. C'est après l'amour que l'image de Martine le hante. Alors, il a le sentiment que ce n'est pas lui qui est là, allongé sur ce lit avec cette femme, mais un autre Urbain Viallet, diabolique et destructeur.

Il s'arrange pour dîner avec Julien un soir sur deux. Les disputes du début sont bien oubliées, mais les propos du garçon blessent son orgueil et lui rappellent son échec.

– Tu sais, fait Julien, le noyer, c'est un bois formidable. D'abord, il est beau, avec ses veines sombres qui font comme de la fumée. Et puis facile à travailler. Il a peu de fil et ne se fend pas. Aujourd'hui, j'ai sculpté des motifs sur un tiroir de table de nuit... Je me suis bien marré !

Urbain écoute en silence. Les yeux de l'adolescent brillent de plaisir.

– Et toi, ça s'est bien passé ?

Urbain remue la tête en signe de négation.

– C'est pas marrant tous les jours !

– Alors, pourquoi tu le fais ?

– C'est pas facile de trouver autre chose.

– Pourtant, avec tes diplômes...

Il joue, Julien. Il prend sa revanche. Son sourire malicieux éclaire son visage. Maintenant, c'est lui qui donne des leçons à son père. Les rôles sont inversés, Urbain en a conscience et en souffre, alors il fuit chez sa maîtresse et, là, l'impression de perdre un temps précieux lui fait inventer un prétexte pour fuir de nouveau.

Le beau samedi pour Julien ! Le soleil de septembre illumine sur une campagne qui a déjà, dans sa lumière, les jaunes un peu épais de l'automne. Le jeune homme se lève à sept heures après une nuit agitée, pleine de rêves tendres entrecoupés de peurs terribles ; il passe dans la salle de bains, se place devant la glace. Ses cheveux coupés court sont moins blonds que lorsqu'il les portait longs. la mèche a disparu après un conseil de M. Commont.

– Si tu prends ça dans le tour ou dans une courroie, tu ne pourras rien faire !

Il se douche rapidement, s'habille très vite. Urbain, qui se lève, le regarde s'agiter fébrilement.

– Toi, tu me caches quelque chose ! fait-il en fronçant les sourcils.

– Non ! dit Julien, rouge de confusion.

– Il n'y aurait pas une sortie ou quelque chose avec la petite Stéphanie ?

Julien baisse la tête et se tait. Urbain sourit et lui pose la main sur l'épaule, un geste affectueux chez lui.

– Profites-en, Julien. Tu vas voir comme la jeunesse file vite et comme les beaux sentiments deviennent ternes.

Julien ne comprend pas ce que son père veut dire, mais il s'en moque. Il prend son sac et sort.

Stéphanie l'attend chez elle. Tout est prêt, le panier avec les provisions, la gourde pleine d'eau fraîche. Elle est en short et porte un chemisier blanc à fleurs rouges. Ses cheveux attachés en chignon dégagent sa nuque claire. Julien l'embrasse sur les deux joues et ils partent. Le soleil illumine les collines d'une lumière poudreuse. Ils sortent de la ville, prennent la route du Puy de Dôme. La sueur coule sur le front de Julien. Dans l'air du matin, des deltaplanes et des parapentes tournent près du sommet.

– On va visiter les ruines du temple de Mercure..., dit Stéphanie. C'est les Romains qui l'ont construit. On se demande comment ils ont pu monter là-haut ces énormes blocs de pierre !

Stéphanie raconte à Julien que son père est postier et qu'il ne rêve que de retourner chez lui, à Manosque. Tous les ans, il demande sa mutation, qui ne vient jamais... Elle travaille Au Crapouillot en attendant une place de secrétaire dans un cabinet d'avocats.

– Moi, je serai ébéniste ! dit Julien avec enthousiasme. Le bois, ça me plaît beaucoup.

Vers onze heures, ils arrivent au sommet du Puy de Dôme. Le vent souffle plus fort que dans la vallée et le soleil est moins puissant. Une lumière rasante les éblouit. Ils se promènent dans les ruines du temple, vont voir décoller les parapentes et suivent des sentiers étroits en se donnant la main. Ils cherchent un endroit tranquille à l'ombre pour pique-niquer.

– J'aime beaucoup ce pays ! dit Stéphanie.

– Moi, je commence seulement à l'aimer.

Ils bavardent de tout et de rien. Julien voudrait tant prendre la jeune fille dans ses bras, dire tout l'amour qui brûle en lui, mais il se tait, toujours retenu par cette peur d'être ridicule. Il se contente de raconter des choses sans importance, de meubler le silence qui très vite s'alourdit. C'est Stéphanie qui aborde le sujet.

– Tu es déjà sorti avec une fille ?

Julien pense à Barbara. Il dit :

– Oui, on se retrouvait dans l'appartement d'un copain. À deux pas du cours Laurent où j'étais en première. On se voyait deux fois par semaine.

– Et pourquoi vous avez arrêté ?

– C'est quand je suis venu ici...

– Et pourquoi tu n'es pas resté à Paris ?

– J'avais envie d'être avec mon père.

– Moi aussi, j'ai eu un ami ! reprend Stéphanie. C'était l'été dernier. Olivier... Il habite Chamalières. Il est beau, grand et fort. Il a une grosse moto et on allait souvent à Lyon... Ça a duré tout l'hiver et jusqu'au mois d'avril... Et puis...

Elle baisse la tête, son visage s'attriste.

– Et puis il m'a laissé tomber pour Amélie... Une petite chipie...

Julien a bien entendu l'amertume et les regrets dans la voix de Stéphanie. Il a envie de lui dire qu'il ne la laissera pas tomber, lui, mais ne trouve pas les mots. Qu'est-il à côté de cet Olivier grand et fort avec son énorme moto ? Comment avouer ses sentiments ? D'ailleurs, ce n'est pas lui qu'elle aime, c'est Olivier, elle vient de le dire.

Julien est déçu. Il a tout à coup envie de partir, de laisser la jeune fille là et d'aller au hasard des chemins dans cette immensité de collines, de vallons, où parfois une maison solitaire se cache dans un repli de terrain. Le beau rêve s'écroule. Il a été assez stupide pour croire qu'une fille pouvait l'aimer. Personne ne l'aime, c'est ainsi depuis toujours.

Stéphanie a dû comprendre ce qui se passe dans la tête du jeune homme, elle lui prend la main.

– Mais Julien, tout ça c'est du passé. Je n'y pense plus !

Alors, il reprend espoir. Les lèvres de la jeune fille se posent sur les siennes. Son cœur bondit, le voilà de nouveau le beau jeune homme que M. Leroux veut peindre !

Le soir, ils descendent vers la ville. Comme il n'a pas plu depuis longtemps, ça sent l'herbe sèche et la poussière chaude.

27

Martine vit très mal cette rentrée scolaire. Jusque-là, elle retournait à l'école avec plaisir. Les vacances duraient toujours assez et elle avait hâte de retrouver ses élèves, sa salle de classe et ses copies à corriger.

Cette année, elle ne se sent pas disponible. Elle est lasse et n'attend rien de l'avenir. Elle retrouve Armelle, bronzée, heureuse, papillon prêt à voleter au hasard de ses fantaisies, et cela l'exaspère.

– C'est pas en restant dans ton coin avec tes idées sombres que tu t'en sortiras ! lui reproche son amie.

Mais Martine n'a pas envie de s'en sortir. Paul ne cesse de la harceler, de l'appeler, de venir sonner à sa porte. Elle refuse de le voir. Au téléphone, il lui fait part de son désarroi.

– Mais pourquoi ce brusque revirement ? On était si bien, tous les deux !

– N'insiste pas, Paul. Je ne veux plus te voir.

Mais Paul ne se résigne pas. Un événement qu'il ignore, quelque chose s'est passé dans la vie de Martine et il veut en avoir le cœur net. Il se confie à Armelle qui, sous prétexte de préparer les programmes de français, vient un après-midi boulevard La Tour-Maubourg. Les deux femmes discutent de la meilleure manière d'aborder le cours d'orthographe quand Armelle dit, tout à coup :

– Paul m'a tout raconté.

– Quoi ?

Martine rougit. Elle n'a parlé à personne de ce qui s'est passé avec Paul. Ses yeux se posent sur un livre ouvert. Même avec Armelle, elle n'aime pas aborder certaines choses intimes.

– Et que t'a-t-il dit ?

– Tout. Ce que je ne comprends pas, continue Armelle, c'est ta réaction. Pourquoi tu refuses de le voir ?

– Parce que c'est ainsi. Il est marié.

– Si peu, avec sa gourde toujours malade qui doit faire l'amour une fois par an !

Armelle s'anime.

– Il serait temps que tu comprennes qu'avec ton mari c'est fini ; il a une amie, il vit dans une autre ville. Il ne reviendra jamais. Alors pourquoi tu t'obstines à lui rester fidèle ?

– Je ne lui reste pas fidèle, mais ce monde-là m'est fermé. Ça ne sert à rien de revoir Paul, sinon à nous faire souffrir tous les deux.

Armelle ne comprend pas. Pour elle, tout est tellement plus simple. Elle ne peut pas imaginer qu'on puisse vivre avec le cœur vide, dans l'indifférence.

– La vie, c'est le bonheur et la souffrance, le plaisir et la douleur, mais certainement pas le néant !

– Alors, je ne suis pas vivante.

Armelle se met en colère.

– Eh bien, reste dans ton coin, à te morfondre. Tu ne vois pas qu'elle dégouline sur toi, la solitude, qu'elle te tient dans sa toile et que tu ne fais pas le moindre effort pour lui échapper ! Tu ne comprends pas que tu es encore assez jeune pour être heureuse ! D'ailleurs, il n'y a pas d'âge pour ça.

– Eh bien, disons que c'est pas le moment. Pour le bonheur, il faut une préparation. Ce n'est pas aussi naturel que tu sembles le dire !

Au collège, Jacques prend la relève. Naturellement, il ne sait rien de l'aventure de Martine et ne cesse de l'inviter à des sorties, à des dîners qu'elle refuse.

– C'est pas de t'enfermer chez toi qui changera quelque chose ! dit-il.

– Mais justement, je ne veux rien changer !

Ce qu'elle redoute depuis plusieurs jours se produit un soir au retour du collège. Armelle n'est sûrement pas étrangère à l'événement. Martine arrive à l'entrée de son immeuble et trouve Paul qui l'attend. Elle n'avait pas remarqué sa voiture bleue garée un peu plus loin en double file. Elle se raidit.

– Paul, je t'avais dit de ne pas venir.

– Il fallait que je te voie. Ça fait plusieurs jours que je te cherche.

– Ça ne sert à rien, je te l'ai dit.

– Martine, laisse-moi monter chez toi, il faut qu'on parle.

– Restons-en là, je t'en prie.

– Mais pourquoi ?

Il a parlé assez fort pour qu'une vieille dame qui marche devant eux se retourne.

– Laisse-moi monter. Ici on se donne en spectacle et c'est plus de notre âge.

– Comme tu veux, mais ça ne sert à rien d'insister.

– Je n'insiste pas, je veux comprendre.

– Il n'y a rien à comprendre. Nous avons été stupides, comme des enfants.

– Mais, Martine... Voilà, je suis amoureux de toi !

Elle chancelle et s'appuie au mur tandis que de la main droite elle compose le code d'ouverture de la porte. Les voilà dans le hall, l'ascenseur est là, ils y entrent. Une fois que la porte est fermée, Paul veut la prendre dans ses bras.

– Non, dit-elle. Je ne saurais pas t'expliquer pourquoi, mais je ne peux pas.

– Alors, ce n'est pas la peine d'aller plus loin ! fait Paul d'une voix pleine de colère. Je ne suis pas un mendiant. Tu ne veux pas de moi, tant pis !

Ils arrivent au palier. Paul pousse avec force la porte de l'ascenseur et se dirige vers l'escalier.

– Adieu, Martine !

Il descend en courant.

Les jours suivants, Martine espère vaguement qu'il va revenir, même si elle sait qu'elle le repoussera. Mais la leçon a été bonne, Paul ne revient pas et ne lui téléphone plus.

Un soir, Vincent appelle sa mère. Il part à l'armée au début du mois de novembre et a pu savoir qu'il sera incorporé à Reims, ce qu'il redoute un peu parce que c'est une caserne assez dure et qu'il y fait froid.

– Bah, conclut le jeune homme. Il faut le faire, alors là ou ailleurs !... Après, je me suis fait pistonner pour être à Paris. Comme ça, je ne coucherai pas à la caserne. Sylvaine reprendra son appartement, c'est celui d'une tante. On ne sera pas séparés !

À croire que seule la vie avec cette fille intéresse Vincent ! Martine est quand même satisfaite : elle pourra voir son fils de temps en temps.

– Et cet été, comment ça s'est passé avec Valérie et Lionel ?

– Bof !

C'est tout ce que Martine peut tirer de Vincent. Elle en apprend un peu plus deux jours plus tard par Lionel, qui vient lui rendre visite, boulevard La Tour-Maubourg. Il est à la recherche d'une partie des cours de physique de l'année dernière qui lui manque.

Martine l'invite à s'asseoir un moment. Il a maigri depuis le printemps, son visage fatigué exprime une grande lassitude. Il explique qu'il travaille tard chaque soir.

– C'est le bagne, math spé., c'est terrible. Je travaille jusqu'à deux heures du matin et je n'y arrive pas !

– Et Valérie, ça marche, pour elle ?

Lionel fronce les sourcils.

– C'est dur pour elle aussi, d'autant qu'elle n'est pas très en forme.

– Au fait, j'ai eu Vincent au début de la semaine. Il va faire son service militaire à Paris. Il ne m'a pas parlé des vacances. Ça ne s'est pas bien passé ?

– On n'est pas restés plus de trois jours à Castres. Valérie s'est battue avec Sylvaine et on a décidé d'aller au Grau-du-Roi.

– Ah bon, elles se sont battues ?

– C'est Valérie qui la cherchait tout le temps. Vincent s'en est mêlé et a pris le parti de Sylvaine, bien sûr, ça a fait toute une histoire. Les vacances ont été gâchées. Valérie faisait la tête. Bravo l'ambiance !

Martine n'insiste pas. L'arrivée de Sylvaine a suffi à détruire la cohésion de ce groupe d'amis qui existait depuis l'école primaire.

– Bon, viens voir dans la chambre. Vincent rangeait ses cours dans son bureau, ils doivent y être encore.

Quand Lionel est parti, Martine réfléchit un instant à ce qu'il vient de lui apprendre : Sylvaine et Valérie se sont battues. Valérie est donc amoureuse de Vincent, c'est ça, la véritable raison de cette expédition à Castres, mais Sylvaine a été la plus forte. Pauvre Valérie, qui doit porter le poids de sa peine et travailler en même temps. Demain, Martine ira la trouver, elle lui parlera avec douceur, avec tendresse, comme à la fille qu'elle n'a pas eue... La consoler sera pour elle le meilleur des réconforts.

Mais Martine ne le fait pas. Le lendemain, une telle démarche lui semble stupide et même un peu humiliante. Elle reste murée dans son appartement avec ses livres de français et ses copies.

28

Pour la première fois, Urbain ne rend pas visite à ses parents à la Toussaint. Il a appelé sa mère avec l'intention de lui expliquer son comportement et elle lui a raccroché au nez. C'est décidé, il ne l'appellera plus jamais.

Julien travaille toute la semaine avec application. Le samedi, il retrouve Stéphanie. Ils font de grandes promenades, profitent des belles journées d'automne pour pique-niquer dans les collines... Julien a bien conscience de sa maladresse. Il ne sait rien des femmes et n'ose pas aller plus loin que ces baisers pudiques, ces caresses sans ambiguïté. Il s'en veut de cette excessive timidité ; Stéphanie attend sûrement autre chose de lui, du moins le croit-il.

Elle part en vacances le 4 novembre chez ses grands-parents à Manosque. Julien la quitte la mort dans l'âme : quinze jours sans elle, comment va-t-il occuper tout ce temps ? Heureusement, son travail l'absorbe. Il sait se servir des machines et M. Commont lui fait de plus en plus confiance. Il s'initie à la marqueterie, qui le passionne.

– C'est le plus beau de notre métier ! dit Commont avec orgueil.

Julien attend tous les jours une lettre de Stéphanie, mais la poste marche mal et les deux semaines passent sans aucun signe de son amie. Il s'invente des bonnes raisons : la lettre s'est perdue ou Stéphanie ne s'est pas souvenue de son adresse, il va bientôt la retrouver et tout ira bien...

Il s'étonne qu'elle ne lui ait pas téléphoné dès son retour, le samedi 18 novembre. Le lendemain, il va l'attendre près du Crapouillot. Une vague appréhension alourdit ses pas. Le temps a changé et l'hiver commence à blanchir le Puy de Dôme. Stéphanie porte un manteau beige, une écharpe rouge qui ne laisse passer que le haut de son visage.

– Ah, c'est toi, Julien ! fait-elle.

Tout de suite, le jeune homme remarque qu'elle n'est pas comme d'habitude. Elle l'embrasse du bout des lèvres et baisse les yeux. Ils se dirigent vers la cathédrale, elle dit, tout à coup :

– C'est la dernière fois qu'on se voit !

Julien sursaute. Une douche froide en pleine rue ne l'aurait pas plus surpris.

– Et pourquoi ?

– Pour rien.

– je veux savoir...

– Eh bien, je te le dis, j'ai revu Olivier pendant les vacances.

– Mais tu n'étais pas chez tes grands-parents à Manosque ?

– Justement, ses grands-parents à lui sont aussi de Manosque, et il y était...

Julien n'en demande pas plus. Une montagne s'écroule en lui, le ciel de novembre l'écrase de sa cendre grise. Il suffoque.

– Comprends-moi, Julien, c'est...

Non, il ne comprend pas. Il sait seulement que les mauvais jours reviennent. Il chancelle, s'éloigne de quelques pas. Julien s'était monté la tête, mais la vérité se rappelle à lui, cruelle : il fait partie des recalés perpétuels, ceux qui n'arrivent jamais les premiers, et il n'y a pas de fille au monde pour s'intéresser à lui. Il part en courant. Stéphanie le rattrape.

– Julien, qu'est-ce qui te prend ? On se retrouvera peut-être un jour...

Il la repousse ; les sanglots l'étouffent. Il pense à la drogue. Pourquoi avoir tant lutté, tant souffert pour en revenir au point de départ ? Il se rend place Jaude, tourne autour des groupes de jeunes gens louches mais ne les aborde pas. Il retourne ensuite rue Basse, voit Stéphanie sortir du Crapouillot mais n'a pas le courage de lui parler. Alors, il rentre chez lui. Son père est là, qui l'attend et remarque tout de suite son visage défait, ses yeux rouges.

– Eh bien, garçon ? Qu'est-ce qu'il se passe ? Tu t'es disputé avec M. Commont ?

Julien remue la tête négativement. Des larmes se forment au coin de ses yeux, roulent sur ses joues, petites billes de lumière. Ses épaules se soulèvent et il pleure comme un tout petit garçon. Urbain le fait asseoir près de lui, sous la *Jeune Fille aux coquelicots.*

– T'en as gros sur la patate, petit gars. Allez, on va parler de tout ça tous les deux.

– Non, je veux pas en parler.

– Stéphanie ? C'est vrai, ça fait mal, mais ça passe. Avec ta tête et tes yeux, il me semble que tu peux en trouver facilement une autre. Tu es beau, tu ne le sais pas ? Et puis pense à ton boulot ; du moins, tu as de l'avenir, beaucoup de belles années...

Urbain baisse la tête et murmure :

– Tandis que moi...

Julien ne répond pas ; Urbain se croit obligé d'ajouter :

– Les affaires de cœur sont toujours moins importantes qu'on ne le croit. Au début, c'est très fort, puis très vite, la routine... Viens, on va aller manger tous les deux.

– Je veux pas aller Au Crapouillot.

– Eh bien, on ira ailleurs... Allez, debout, et essuie cette figure, que tu ressembles à un gamin qui a ramassé la fessée.

Le lendemain, Julien ne va pas à son travail. Il attend que son père soit parti pour errer en ville. Il sait maintenant que jamais aucune fille ne s'intéressera à lui, qu'il sera toujours seul et rejeté. Il retourne Au Crapouillot, attend Stéphanie. Olivier l'attend aussi, au bout de la rue, à côté de sa moto rouge garée sur le trottoir. Alors, la colère s'empare de Julien. Il voudrait le provoquer, mais que peut-il contre ce solide garçon ?

Le temps est gris, assez froid. L'automne déplume les platanes de la place de la Mairie et le vent pousse les feuilles sur le trottoir que des employés de la ville ramassent. Le Puy de Dôme disparaît dans la brume. Julien marche, les mains dans les poches ; chaque rue, chaque vitrine lui rappelle Stéphanie. Sur le trottoir, devant un tabac, une moto rouge brille de tous ses chromes dans cette lumière laiteuse. Julien la regarde un moment, en fait le tour. C'est la même que celle d'Olivier. Quel plaisir on doit éprouver en conduisant un tel engin ! Toute cette puissance libérée en tournant seulement la manette des gaz ! Julien s'imagine en train de passer devant Stéphanie au guidon de cette machine. La clef de contact est à sa place, sous le compteur de vitesse, un oubli du propriétaire qui ne doit pas être très loin et Julien ne voit qu'elle, brillante comme une étoile. Sans réfléchir, il enjambe la moto qui démarre aussitôt, roule, obéit au garçon qui la serre entre ses cuisses comme un cheval de course. Il s'échappe. Zut, le feu de croisement est au rouge ! Deux gendarmes surveillent le carrefour et il n'a pas de casque. Les gendarmes ne le remarquent pas, le feu passe au vert, un peu de gaz et la moto bondit comme une bête bien dressée. Elle est beaucoup plus puissante que celle de son copain Pierre, qu'il conduisait, l'été dernier, à Turenne.

Le vent fouette son visage. La liberté, enfin, la liberté simple et nécessaire ! Si Stéphanie pouvait le voir ! Tout à coup, il prend conscience de ce qu'il vient de faire. Que lui est-il passé par la tête pour voler cet engin ? Au sommet de la côte, il va l'abandonner dans le fossé. À midi, il sera chez M. Commont et justifiera son absence par un mal de ventre.

Il voit trop tard le camion qui arrive en face, très vite, alors il met la main devant son visage, un geste d'enfant pour se protéger d'une gifle de sa mère. Le choc fait le bruit sec d'une bombe qui secoue la tranquillité des arbres ; des tôles raclent le gravillon, un petit vent agite les feuilles sèches.

Ces jours-ci, Urbain s'arrange pour arriver un peu plus tôt que d'habitude à son bureau. Sa décision est prise : il va quitter Hugues Demet et veut partir la tête haute. Il s'est mis à la recherche d'autre chose qui lui conviendrait mieux, une petite entreprise dans laquelle il pourrait investir le capital constitué par son indemnité de licenciement et participer ainsi à la direction de l'affaire. Mais les jours passent et il ne trouve rien.

Le téléphone le distrait. Sophie doit l'appeler en fin de matinée. Au bout de quatre mois, l'empressement à répondre, l'attente de la sonnerie sont moins intenses. Déjà la lassitude ? L'illusion n'a pas duré bien longtemps !

De nouveau la sonnerie. Il décroche, ce n'est pas Sophie. Une voix d'homme lui annonce que son fils a eu un accident très grave avec une moto volée.

– Comment ?

Il a crié. Son visage se décompose. La vie se retire de son corps. Il tremble, pose le combiné à côté du téléphone, regarde autour de lui, hébété.

– Monsieur Viallet, ça ne va pas ? Vous venez d'apprendre une mauvaise nouvelle ? demande Arlette.

Urbain n'y croit pas, ce n'est pas possible ! Les gendarmes se sont sûrement trompés. Les Viallet ne manquent pas dans la région, c'est un nom du Massif central et ils auront pris quelqu'un d'autre pour Julien. À cette heure, son fils travaille chez M. Commont. Il va l'appeler pour se rassurer.

– Monsieur Viallet, dites, vous avez besoin de quelque chose ?

Il ne répond toujours pas, sort son carnet de téléphone où se trouve le numéro de l'ébéniste. Puis il hésite, comme pris d'un pressentiment. Mieux vaut éviter de connaître la vérité trop vite et faire durer le doute, qui contient l'espoir.

– Mon fils..., dit-il. Il faut que j'y aille.

Il sort du bureau sans rien ajouter, court à sa voiture garée dans la cour. Pourquoi Julien aurait-il volé une moto ? Hier, il avait du chagrin à cause de Stéphanie, mais à la fin du dîner il allait déjà mieux. Non, ce n'est pas possible !

À la gendarmerie, Urbain se gare sans précaution en double file, entre, se présente. Un gendarme lui explique que Julien a percuté un camion de plein fouet sur la route de La Bourboule. La moto volée appartient à un certain Guy Vaullade, employé chez Michelin, qui s'était arrêté place de la Mairie pour acheter un paquet de cigarettes. Julien a été conduit au service des urgences du CHU.

– Il est très blessé ?

Le gendarme secoue la tête.

– Je ne peux rien vous dire.

Urbain se rend à l'hôpital en prenant d'énormes risques. Il évite de justesse une vieille dame à un passage pour piétons et s'emporte contre « cette empotée ». Enfin, il arrive, demande le service des urgences. Il croise des infirmières, des médecins, personne ne sait rien. Julien est au bloc opératoire, il faut attendre.

Alors commence la torture pour Urbain. Il erre dans ces couloirs sans fin, parmi des malades en robe de chambre et des infirmières en blouse blanche. Il se rappelle tout à coup que Martine n'est pas avertie...

Martine corrige des copies dans son bureau. Le silence de cette pièce lui convient mieux que le bruit incessant de la salle des professeurs. Et puis elle fuit Jacques, qui la poursuit de ses tendres sollicitations, Jacques qu'elle ne supporte plus.

Le téléphone sonne. Comme elle redoute un appel de Paul, elle laisse le répondeur s'enclencher. C'est

Urbain. Sa voix sans timbre dit dans un souffle : « Il faut que tu viennes vite. Julien a eu un très grave accident. »

Martine se précipite sur le combiné, mais c'est trop tard, Urbain a déjà raccroché. Une angoisse désespérée l'envahit. Elle court vers la fenêtre, puis dans sa chambre, revient au téléphone, cherche dans son sac le numéro d'Urbain. Elle ne le trouve pas, vide nerveusement le sac sur la moquette, met enfin la main sur le morceau de papier où sont écrits six chiffres d'une écriture ronde et sage. Elle compose le numéro, se trompe, recommence. Urbain n'est pas chez lui, elle aurait dû s'en douter. Son sang s'est arrêté dans ses veines : Julien, son petit Julien a eu un grave accident ! Qu'est-ce que cela veut dire ? Est-il mort ? Non, ce n'est pas possible ! Urbain aurait pu donner plus de détails, mais Urbain ne pense jamais à rien. Martine se souvient maintenant qu'elle a noté le numéro de l'entreprise Demet sur son petit carnet. Elle décroche de nouveau le téléphone. Arlette lui répond.

– Votre mari est parti précipitamment dès qu'on lui a annoncé la nouvelle. Il est au Centre hospitalier...

Elle aurait dû s'en douter.

– Vous ne pourriez pas me donner le numéro ?

– Un instant, je vous prie.

Martine note le numéro du CHU, remercie. Au Centre hospitalier, une opératrice lui passe le service des urgences.

– On ne peut encore rien vous dire ! fait un médecin.

Alors, Martine se décide. Elle court dans sa chambre, met quelques affaires dans un sac et s'en va à la gare de Lyon.

L'attente du train est interminable. Elle marche de long en large, appelle de nouveau chez Urbain, mais sans plus de résultats.

Enfin, un train pour Clermont-Ferrand est affiché, elle monte dans son wagon, cherche sa place. Une fois assise, ses nerfs craquent et elle se met à pleurer. Les gens se bousculent dans l'allée centrale. Martine ne fait pas attention à eux. Quand le train démarre, il lui semble qu'elle quitte une vie pour une autre et qu'elle entre dans un monde où rien ne sera comme avant.

Le voyage dure une éternité. Martine promène ses yeux sur la campagne qui défile rapidement mais ne la voit pas. Il n'y a en elle que cette lourde peine, cette incertitude. Elle passe de l'espoir le plus insensé à l'abattement le plus fort. Par moments, elle a l'intuition que Julien est bien vivant, que ses blessures ne sont que superficielles. Il a été un peu sonné, c'est tout, demain tout ira mieux et Martine lui proposera de l'emmener avec elle à Paris. À cette pensée optimiste succède une vision terrible. Julien est mort, odieusement mutilé. Alors, elle n'a qu'une hâte, mourir à son tour pour le rejoindre dans l'au-delà. Pourquoi chercher à survivre quand la peine et la douleur sont chaque jour plus lourdes à porter ?

C'est Urbain le responsable ! Il ne s'est pas suffisamment occupé de Julien ; il avait d'autres soucis avec cette femme dont Martine n'a pu rien savoir ! Elle le hait. Urbain ne pense qu'à lui, à son plaisir ; les autres, même ses enfants, ne comptent pas à ses yeux.

Enfin, le train s'arrête à la gare de Clermont-Ferrand. Martine se laisse porter par la foule des voyageurs qui en descendent. Une tenaille mord son ventre. Elle monte dans un taxi, mais, une fois à la porte du Centre hospitalier, elle flanche, reste un moment dans la voiture arrêtée, incapable d'aller plus loin. Le chauffeur a compris et ne la presse pas. Enfin, elle se décide et, les jambes molles, va jusqu'à l'accueil. Une infirmière l'accompagne dans une suite de couloirs jusqu'à une salle d'attente.

– Le docteur va venir dès qu'il pourra.

Martine entre et voit Urbain assis dans un coin, comme pour se cacher. Il lève ses yeux rouges sur elle.

– Il est dans le coma, dit-il d'une voix cassée par un sanglot.

Elle a déjà oublié ses ressentiments et voudrait se serrer contre lui, mêler ses larmes aux siennes, mais elle ne bouge pas. Entre eux, un mur s'est dressé, celui d'une séparation de quelques mois. Alors, elle s'assoit à l'autre bout de la pièce et s'essuie le visage avec un Kleenex.

– Comment ça s'est passé ?

– Avec une moto volée.

Une moto volée ! Julien a donc continué ses bêtises. Martine attaque :

– Tu vois, il n'y a pas qu'à Paris...

La porte s'ouvre. Entre un homme d'une cinquantaine d'années, en blouse blanche, avec une belle moustache grise.

– Monsieur et madame Viallet ? demande-t-il d'un ton grave.

Ils se lèvent, la respiration suspendue, les yeux rivés sur cet homme, cette bouche fine dont ils attendent quelques mots d'espoir.

– Je suis le docteur Giraud. Votre fils est toujours dans le coma. Il a un bras et une hanche brisés, mais ce n'est pas très grave. Par contre, le traumatisme crânien semble important. Tant qu'il n'est pas sorti du coma, on ne peut pas se prononcer.

– Et quand saura-t-on quelque chose ? demande Urbain.

Le médecin hausse les épaules.

– Je n'en sais rien. Ça peut durer plusieurs jours... S'il sort du coma, il sera sauvé. Demain, vous pourrez le voir.

Il n'ajoute rien et s'éloigne.

Martine entend ses pas décroître dans le couloir. Urbain se tourne vers elle.

– Qu'est-ce que tu vas faire ?

– Je vais prendre une chambre à l'hôtel et attendre demain.

– Tu peux venir chez moi, sa chambre est libre.

– Non, dit Martine, je préfère l'hôtel.

29

Martine loge dans un hôtel voisin du CHU. Elle s'est enfermée dans sa chambre et s'est assise sur le lit, prostrée, sans pensées, entière à sa douleur. Quand elle reprend ses esprits, la tristesse de cette pièce au papier fané lui apparaît. Une chambre de passage, de gens pressés, de représentants de commerce ou de couples interdits. Au pied du lit, une tache grise salit la moquette marron délavée. Sur la table de nuit, des brûlures de cigarette noircissent le bois.

Elle s'allonge sans se déshabiller, il lui semble que le contact de sa peau avec ces draps la souillerait. La nuit n'en finit pas. Elle ne cesse de penser au blessé et regrette de ne pas avoir accepté l'invitation d'Urbain... Vers sept heures, après une nuit blanche, elle descend, boit un café au bar et s'en va à l'hôpital. Il fait frais ; les platanes de la place sont complètement déplumés. Le jour se lève, gris, hivernal. Elle entre dans l'immense Centre hospitalier et va directement au service des soins intensifs. Une infirmière vient à sa rencontre, le visage fermé : Julien est toujours dans le coma, son état reste stationnaire. Il faut encore attendre.

Attendre, toujours attendre ; traverser ce temps qui ne passe pas dans cette ville inconnue, si peu accueillante. Une ville laide, pour ce qu'elle en a vu. Il n'y a qu'Urbain pour dénicher des trous pareils, Urbain qui ne vient pas. Où est-il ? Avec sa maîtresse ? Martine sort de l'hôpital et marche dans le parking au milieu du rond-point. Une petite voiture noire vient se garer à dix mètres d'elle. C'est Urbain. Visiblement, lui non plus n'a pas dormi. Son front est ridé, ses rares cheveux sur les tempes sont en broussaille. Il ne s'est pas rasé et des poils blancs hérissent son menton. Le col de sa veste est retourné, sa cravate mal nouée.

– Alors ?

– Toujours pareil.

Il baisse la tête, soupire. Son crâne luit sous le lampadaire encore allumé.

– Viens prendre un café ! dit-il. C'est pas la peine d'y aller à cette heure, ils ne nous diront rien de plus.

Ils vont au bar et s'assoient l'un en face de l'autre. Martine observe un instant le visage d'Urbain qu'elle redécouvre. Il a changé, lui aussi, il a maigri un peu, les cheveux autour de ses oreilles ont blanchi et, sur sa joue droite, la fossette s'est creusée. Elle dit :

– C'est notre faute si Julien en est arrivé là.

Il prend un air étonné, braque ses petits yeux noirs dans ceux de Martine.

– Oui, notre faute ! continue-t-elle. Nous n'avons pas su le comprendre, pas su l'écouter. C'est un garçon sensible qui marche au sentiment et on a toujours eu tendance à le rejeter.

– Peut-être que nous avons des torts, fait Urbain, mais tu ne sais pas tout. Julien était très bien en ce moment. Ça va bien avec son patron, mais voilà, Stéphanie l'a quitté !

– Une fille ?

– Oui, une superbe fille. Ils étaient toujours ensemble... La veille de l'accident, il me faisait pitié. Je l'ai emmené dîner au restaurant et on a discuté. Entre nous, ça va beaucoup mieux aussi. J'ai beaucoup changé, tu sais.

Ils découvrent, à cette heure matinale et froide, que, quoi qu'ils fassent, ils restent étroitement liés par cet enfant blessé et qu'aucune dispute, aucune haine n'y pourra rien changer.

– S'il a eu ce comportement, qui est un suicide, c'est à cause de son passé.

– Écoute, Martine, nous n'avons pas eu tort de lui dire de travailler et qu'on n'avait rien sans effort !

– Oui, mais nous n'avons pas su le dire. Voilà la vérité, j'y ai pensé toute la nuit.

Urbain aussi y a pensé toute la nuit. Il a pensé aussi à sa propre situation...

– De toute manière, il faudra bien...

Il ne finit pas sa phrase. Son regard se voile, il baisse la tête. Une artère bat sous la peau à sa tempe. Ce soir, il doit voir Sophie, mais il ne la verra pas... Martine le regarde. L'espace d'un éclair, l'image de Paul, son amant d'un soir, traverse son esprit et elle en a un haut-le-cœur.

– Il va quand même falloir que j'aille au bureau ! dit Urbain.

– Moi, il faut que je téléphone pour m'arranger avec Armelle et la directrice.

– Vincent est-il au courant ?

– Non. Je n'ai pas son numéro sur moi. Il part à l'armée le mois prochain...

Urbain règle les cafés et pousse sa chaise.

– C'est trop tôt pour voir les médecins. Toi, tu peux rester. Téléphone-moi dès que tu sauras quelque chose. De toute manière, je reviens à midi.

Il monte dans sa voiture et s'en va. Martine retourne à l'hôpital. Elle demande le docteur Giraud. Une infirmière lui répond qu'il ne sera pas là avant neuf heures. Martine va s'asseoir dans la salle d'attente, feuillette un magazine, mais n'arrive pas à lire. Les pages tremblent devant ses yeux.

La porte s'ouvre. Martine se dresse et reconnaît le docteur Giraud avec sa belle moustache grise et ses lèvres fines.

– C'est toujours pareil ! dit-il, fataliste.

– Mais, docteur, combien de temps faudra-t-il attendre ?

Il hausse les épaules.

– Je n'en sais rien. Ça peut durer plusieurs jours...

Il s'éloigne. Martine décide de sortir. Elle doit d'abord prévenir son collège qu'elle sera absente pendant quelques jours. Quand c'est fait, elle marche un moment dans les rues qu'elle trouve sinistres. Ses jambes lui font mal. Finalement, elle va s'asseoir au bar, commande un premier café, puis un deuxième, mais le temps ne passe pas.

Midi sonne enfin à la chapelle voisine. Le ciel est gris. Un vent glacial souffle du nord. Urbain arrive. Il est de mauvaise humeur. Sophie l'a appelé ce matin et lui a fait une scène de jalousie à cause de Martine.

– Non, je ne viendrai pas chez toi ce soir ! a précisé Urbain. Et même si je venais, je ne serais pas très gai. En ce moment, rien d'autre ne compte que mon fils.

– Rien d'autre, a hurlé Sophie. Et moi ? Je ne suis là que pour le remplacement, quand tu n'as personne. Ta femme est ici, alors, tu la reprends !

– Il ne s'agit pas de ça ! Il s'agit de l'accident de mon fils. Ça se voit que tu n'as pas eu d'enfant. Tu ne peux pas comprendre.

Il a raccroché, de très mauvaise humeur. À onze heures, Sophie l'a de nouveau appelé.

– Écoute, faut que tu viennes ce soir.

– C'est impossible, je te dis !

C'est leur première dispute, le premier accroc dans leur belle entente. Urbain n'en est pas contrarié : le grand feu de paille n'a flambé qu'un seul été.

Martine le rejoint près de sa voiture.

– J'ai téléphoné, dit Urbain, c'est toujours pareil. Allons déjeuner.

Ils vont dans une brasserie, commandent une omelette et une salade. Martine n'a pas faim. Elle n'a pas mangé depuis hier midi, mais son estomac reste bloqué. Urbain se force à manger un peu ; lui non plus n'a pas d'appétit.

– Il faudrait que je rentre à Paris, dit Martine. Mais je ne peux pas...

– Ça ne changera rien !

– Je sais...

Il avale un peu d'omelette puis repousse son assiette.

– Ça passe pas ! Bon, faut que j'y aille. De toute façon, je vais arrêter ce boulot minable !

Il appelle le garçon, règle la note et sort. Martine le suit jusqu'à sa voiture.

– Je repasserai ce soir, dit-il. Qu'est-ce que tu vas faire ?

Elle le regarde droit dans les yeux.

– Attendre, Urbain. Que crois-tu que je fasse d'autre, sinon attendre ?

Il tourne la clef de contact et s'en va.

Elle rentre à Paris le dimanche suivant. Urbain ne l'a pas accompagnée à la gare, il ne lui a même pas proposé de l'emmener. Il est passé le matin à l'hôpital puis, comprenant que rien n'avait changé, s'en est allé sans un mot, comme un voleur. Martine l'a vu marcher très vite jusqu'à sa voiture. Elle s'est retenue pour ne pas courir derrière lui. Allait-il rejoindre cette femme dont elle ne connaît même pas le prénom ?

Elle retrouve son appartement désert, les murs silencieux, sa chambre froide, ses copies qui ne l'intéressent plus. Demain, elle ira en classe sans avoir préparé son travail, tant pis ! Sait-elle de quoi demain sera fait ? De larmes ou de joie ?

Au collège, Jacques vient au-devant d'elle, l'embrasse sur les deux joues avec un peu plus d'effusion que d'ordinaire. Comprenant à sa tête que la terrible incertitude subsiste, Armelle lui prend le bras.

– Viens avec moi.

Urbain ne décolère pas. La présence de Martine l'a ramené six mois en arrière. Il sait maintenant que le miracle qu'il était venu chercher à Clermont-Ferrand ne se produira pas. Il doit donc décider autre chose, mais tout est suspendu à la guérison de Julien, qui dort toujours de ce sommeil du choc, entre la vie et la mort. Le médecin est formel : si le jeune homme sort du coma, il aura toutes les chances de guérir, mais à mesure que le temps passe ces chances diminuent.

Et puis il y a Sophie, qu'il ne veut plus voir, mais il ne sait pas comment rompre. Elle l'a compris et aborde le sujet.

– Il faut regarder la réalité. Ça ne va plus ! Je ne voudrais pas que notre histoire se termine comme toutes les autres, banalement, en butant sur le vide, sur le rien. Il n'y a de belles histoires que celles qui restent inachevées. Il faut garder l'espoir de se retrouver, tu comprends !

– Peut-être. Je suis tracassé, voilà la vérité.

– Certes, mais la lassitude s'est installée insidieusement en toi. Mieux vaut se séparer avant de s'abîmer.

Il ne proteste pas et prétexte une visite à l'hôpital pour s'en aller.

L'hiver arrive, des nuages pressés traversent le ciel et vont mourir sur le Forez. Il commence à faire froid. Les jours sont minuscules ; ces jours qu'il aimait à Paris passer douillettement dans son appartement sont ici ternes et tristes. Le samedi, Martine allait au marché et achetait des légumes pour faire une soupe qui chauffait l'estomac et remplissait de bien-être... Il s'ennuie et n'a même plus le recours d'aller dîner chez Jeanine. Quand celle-ci a appris que Julien avait eu un accident, elle s'est mise en colère.

– C'est de votre faute ! a-t-elle tonné. Vous entendez, monsieur Viallet, de votre faute, et je ne mets pas la main devant la bouche pour vous le dire. Vous vous seriez un peu plus occupé de lui au lieu de courir après cette femme, je suis certaine que ça ne serait pas arrivé !

– Cette femme ? s'étonne Urbain.

– N'essayez pas de me monter le coup ! Je suis bien renseignée. Et puis, est-ce normal de quitter sa famille parce qu'on est au chômage ?

Là aussi, le temps des compliments est bien fini.

Un soir, en sortant de chez lui, il s'étonne de trouver Stéphanie emmitouflée dans son épais manteau marron. Un vent glacial souffle depuis quelques jours. Le ciel est bas, chargé d'une neige qui ne va sûrement pas tarder à tomber. La jeune fille s'approche de lui, la tête basse, coupable.

– C'est de ma faute ! dit-elle en éclatant en sanglots. Je le regrette ! Ah, si vous saviez comme je le regrette !

– Non, Stéphanie, ce n'est pas plus de ta faute que de la mienne. Julien avait beaucoup de problèmes dont il ne t'avait sûrement pas parlé.

– Je suis allée allumer un cierge à la cathédrale pour qu'il guérisse...

Elle s'éloigne sans rien ajouter.

Le même soir, tandis qu'il va chercher sa voiture au parking de l'hôpital, Urbain croise M. Commont et sa petite femme au visage de poupée en porcelaine.

– Ah, c'est bien un grand malheur ! dit M. Commont de sa voix puissante.

Mme Commont acquiesce et prend un air désespéré. Une larme de circonstance brille au coin de ses yeux.

– Une chose est sûre, monsieur Viallet, ce garçon est une tête de lard, mais il s'est bien arrangé. Et il est doué. J'en ferai un bon ébéniste, je vous le garantis !

– Après ce qu'il a fait, vous allez le reprendre ?

M. Commont pose familièrement son énorme main sur l'épaule d'Urbain.

– Il a fait une bêtise, d'accord. Et se je le reprends pas, il en fera d'autres. Je me charge de lui donner les coups de pied au cul qu'il méritera, mais je m'en voudrais de ne pas apprendre le métier à un gamin aussi habile.

– Il a surtout besoin de beaucoup de tendresse ! reprend Mme Commont de sa petite voix flûtée.

– Faut d'abord qu'il se tire d'affaire ! ajoute Urbain en soupirant.

– Bah, ça va s'arranger ! fait Commont comme si son imposante stature lui permettait de commander le destin de son apprenti.

30

Au début du mois de décembre, Martine réussit à s'arranger avec ses collègues pour se libérer pendant une semaine qu'elle souhaite passer près de son fils.

– Ça n'avance à rien ! a-t-elle dit à Armelle, mais j'ai le sentiment que près de lui je l'aide à lutter.

Urbain vient la chercher à la gare. En descendant du train, elle est surprise par le froid glacial.

– Le médecin réserve de plus en plus son pronostic, dit-il. Je l'ai vu ce matin. Plus le temps passe, plus les chances d'un retour à la conscience s'amenuisent.

Urbain conduit avec brutalité, donne des coups de volant, des coups de frein qui font miauler les pneus. Martine le regarde en silence, comme elle le faisait autrefois quand il avait un souci dont il ne voulait pas parler, et ça finit de le mettre hors de lui. Il explose.

– Et puis arrête de me regarder !

Martine constate avec calme :

– Tu es malheureux, Urbain.

– Tu crois que c'est gai ?

– Il ne s'agit pas de ça, mais de ta vie !

Urbain ne répond pas, preuve qu'elle a raison. Voilà une semaine qu'il n'a pas vu Sophie et ne souhaite pas la voir. Il a cru pouvoir dompter le temps et reprendre sa jeunesse là où il l'avait laissée ; il a voulu devenir un autre et échapper à ses peurs, mais le temps ne laisse personne en paix. Alors ?

Vincent est venu quelques jours après l'accident. Il est arrivé en donnant la main à Sylvaine et lorsqu'il a vu son frère, la tête pliée dans un énorme pansement, la moitié du corps plâtré, il n'a pas pu retenir ses sanglots. Sylvaine l'a serré contre elle, en lui caressant les cheveux.

– T'en fais pas, il va guérir.

Le soir, Urbain les invite à dormir chez lui. Vincent n'est plus le même, le bon élève rangé est devenu un homme. Son corps a perdu les lignes douces d'un adolescent tranquille, ses joues ne sont plus aussi rondes. La barbe a épaissi et bleuit son menton.

Martine passe beaucoup de temps dans le train. Elle a pu grouper ses cours sur trois jours et se rend à Clermont-Ferrand en milieu de semaine. Ces voyages la fatiguent. Elle dort peu ; l'image de Julien, les paupières maintenues fermées par une bandelette blanche, ne la quitte pas. Elle ne mange pas régulièrement et a encore maigri, Armelle s'inquiète.

– Tu devrais voir un médecin. Il ne faudrait pas qu'en plus tu tombes malade.

Armelle lui a proposé de venir habiter chez elle, mais Martine refuse, elle ne veut pas dépendre des autres.

Samedi 15 décembre. Martine quitte le petit hôtel où elle est arrivée tard, hier au soir, et va à l'hôpital. Elle a passé une très mauvaise nuit : sans nouvelles de Julien depuis douze heures, il lui semble que l'irréparable s'est produit. Un étau serre sa poitrine. Chaque inspiration lui fait mal. Elle se dirige d'un pas lourd vers l'hôpital. Au fond de son esprit pèse la certitude qu'il s'est passé un événement grave, c'est une intuition de mère, sans fondement, mais évidente.

Elle arrive essoufflée sans avoir couru. L'infirmière du service des urgences lui adresse un sourire discret. Martine pousse un soupir de soulagement. Elle avait imaginé le pire, mais non, rien de grave ne s'est passé puisque l'infirmière lui a souri. Elle enfile la blouse blanche, le bonnet et les gants puis s'approche du lit où Julien repose, isolé des autres malades.

Le blessé dort toujours de ce sommeil qui précède la mort. Sur un cadran, les battements de son cœur s'inscrivent régulièrement. Son corps est vivant, mais où est son esprit à cette heure ? Très loin de là, près des cimes claires d'un pays sans histoire ?

Au bout d'un moment, Martine prend la main du blessé dans la sienne. Et cette main d'ordinaire molle, sans vie, tout à coup se contracte. Ce n'est qu'une légère pression, mais Martine l'a nettement sentie. Elle se tourne vers l'infirmière, les yeux exorbités, les lèvres ouvertes.

– Il a bougé ! dit-elle d'une voix blanche.

L'infirmière prend à son tour la main de Julien. Les deux femmes sont là, à attendre un mouvement, la preuve que la vie revient dans ce corps cassé. Un sourire illumine le visage de la femme.

– Pas de doute possible ! fait-elle avec beaucoup d'émotion dans la voix.

Elle court chercher le docteur Giraud. L'homme arrive, examine en silence le malade, puis, au bout d'un moment, lève les yeux.

– Eh bien, je crois qu'on revient de loin ! dit-il, lui aussi ému par cette manifestation de vie.

Martine pleure sans retenue, mais elle reste là à tenir ces doigts qui, une fois de plus, se ferment sur les siens.

– Voilà quelque chose de très encourageant, continue le médecin. Mais il ne faut pas le fatiguer. Revenez ce soir, tout devrait aller très vite.

Martine sort de l'hôpital. Les larmes ruissellent sur ses joues, mais ce sont de bonnes larmes qui lui font un bien infini. Un peu de soleil perce des nuages bas. Une nuée d'étourneaux part d'un arbre déplumé en piaillant. Martine court à la cabine téléphonique, compose le numéro d'Urbain.

– Il a bougé !

Elle a crié. Urbain, à l'autre bout du fil, crie aussi :

– Quoi ?

Il a bien compris, c'est pour cela qu'il veut entendre une seconde fois ces mots d'espoir.

– Julien a bougé !

– J'arrive ! hurle Urbain.

Martine fait les cent pas sur le parking en attendant Urbain, qui arrive quelques minutes plus tard. Il la regarde en riant.

– Si ça pouvait..., fait-il en marchant vers l'hôpital.

Oui, si ça pouvait ! L'infirmière leur sourit.

– Il ouvre les yeux, il nous entend.

Le docteur Giraud aussi est tout réjoui.

– La force de vie d'un jeune corps me surprendra toujours ! Vous pouvez être rassuré, mais il revient de loin !

Le médecin s'éloigne. Urbain pleure ; à cette heure, il a oublié sa retenue paysanne. Pour lui aussi, la vie recommence. Julien est sauvé ! Il est lui-même guéri !

Il entraîne Martine jusqu'à sa voiture. C'est tout à coup le printemps dans ce mois de décembre maussade. Urbain ne sent pas le froid.

– On va Au Crapouillot ! dit-il en ouvrant la portière à Martine.

Enfin, le Crapouillot ! Martine en a tant entendu parler par Julien. Elle s'essuie les yeux, se mouche. La fatigue a disparu, c'est le plus beau jour de sa vie.

Au Crapouillot, Jeanine oublie ses réprimandes. Elle les accueille comme il se doit, avec beaucoup de « msieu-dame », et les installe au restaurant. Quand elle apprend que Julien est sauvé, elle joint les mains et remercie Dieu. Jules, qui passe, essuie cependant une rebuffade et va se cacher dans la cuisine.

– Je savais bien que ça s'arrangerait !

Stéphanie a entendu. Elle ose braver l'autorité de sa patronne pour venir embrasser Urbain.

– Dès qu'il sera mieux, j'irai le voir. J'ai plein de choses à lui dire !

Urbain ne tient pas en place, il bouge, il parle, il rit pour un rien. Martine est moins expansive, elle redoute quelque complication qui viendrait briser ce cours heureux des événements. Urbain commande un whisky et elle un pinot rouge comme au temps où la mère de Martine venait boulevard La Tour-Maubourg garder les enfants et qu'ils allaient dîner dans un bon restaurant.

– Voilà, dit Urbain. J'attendais ce moment pour te parler. J'ai beaucoup réfléchi. Je ne trouverai jamais un emploi qui me convienne, alors...

– Alors ?

– Je vais m'installer antiquaire, marchand de meubles et d'objets d'art. Julien sera ébéniste et nous pourrons travailler ensemble. J'ai compris qu'on pouvait faire une très bonne équipe, tous les deux !

– À Clermont-Ferrand ?

– Non, à Paris. On ne peut pas faire ce métier ailleurs et puis... je m'ennuie de Paris.

– Et l'argent ?

– Il y a d'abord mon indemnité de licenciement et, si tu es d'accord, on va vendre l'appartement du boulevard La Tour-Maubourg. On prendra un petit truc dans un quartier moins chic et pour nous deux ça suffira bien.

Vendre l'appartement du boulevard La Tour-Maubourg, le nid, les souvenirs, le passé. Martine l'aimait autrefois quand ils étaient tous les quatre, quand la famille, éclatée la journée, se retrouvait le soir. Seule, elle le hait... Urbain la regarde avec ce petit sourire des moments heureux. Il lui prend la main et ce contact la grise plus que le verre de pinot qu'elle vient de boire.

– Voilà, loin de Paris, la vie n'est pas possible et...

– Et quoi encore ?

– ... Et loin de toi non plus.

Après le déjeuner, ils repartent pour l'hôpital. Martine serre les lèvres. Tout cela est trop beau pour être vrai. Elle pense à Paul, à sa faute, mais à cette heure cela n'a plus d'importance.

Au service des urgences, l'infirmière les accueille avec un grand sourire qui arrondit son visage et lui donne une jeunesse que Martine n'avait pas remarquée.

– Tout va bien ! Vous pouvez le voir.

D'ordinaire, une seule personne est admise auprès des malades, mais elle les laisse entrer tous les deux. Julien, les yeux grands ouverts, les regarde. Ses lèvres muettes s'animent.

– Vous pouvez parler, il vous entend ! dit l'infirmière.

Alors, Urbain dit :
– Comme tu nous as fait peur !
Et puis :
– On était chez Jeanine à midi.
Julien sourit.
– Tu pourras parler demain ! dit l'infirmière. Le docteur a dit qu'il allait t'enlever tout ça, ce soir ! Tu es guéri.
Julien remue les mains, il voudrait tant s'exprimer ! L'infirmière apporte un crayon et une ardoise. Le jeune homme trace maladroitement quatre lettres : « NOËL ».
Urbain regarde Martine.
– Oui, on passera tous Noël à Paris, dit-il. Il y aura Vincent et son amie. Il y aura toi et tu pourras inviter qui tu voudras... Je vais acheter un magasin d'antiquités. Toi, tu finiras ta formation ici avec M. Commont, qui est très content de toi ; il dit que tu seras un bon ébéniste, alors on travaillera ensemble, tu retaperas les vieilleries que j'achèterai...
Il marque un moment de silence, puis ajoute :
– Pour la moto, t'en fais pas. J'ai arrangé les choses avec le propriétaire, qui a retiré sa plainte. Le conducteur du camion n'a pas été blessé...
L'infirmière fait signe qu'il faut le laisser se reposer.
– On reviendra demain, dit Urbain.
Ils sortent. Jamais le mois de décembre n'a été aussi beau.
– Cette année a été un peu longue..., dit Martine, pensive.
Après un moment de silence, Urbain poursuit :
– On va chez moi. Je vais te présente, la *Jeune Fille aux coquelicots.*
Elle a envie de se serrer contre lui, mais cette barrière de plusieurs mois de séparation se dresse encore

entre eux. Ils devront la casser, jour après jour, pierre par pierre, et réapprendre à vivre ensemble. Maintenant que Julien est guéri, tout redevient possible.

– Tu as raison, dit Urbain, qui est resté un long moment silencieux, cette année a été bien longue.

Un flocon de neige tourne devant eux, puis un second. Le Puy de Dôme est noyé dans la brume. Urbain pense aux promenades du dimanche après-midi qu'ils faisaient autrefois et au thé chaud qu'ils buvaient à leur retour tandis que la nuit d'hiver tombait sur la ville paisible...

Composition et mise en page :
COMPOS JULIOT, 11, rue Bleue 75009 PARIS.
Imprimé par Bussière Camedan Imprimeries
à Saint-Amand-Montrond (Cher)

Achevé d'imprimer le 6 septembre 1996

N° d'édition : 37114. N° d'impression : 4/764
Dépôt légal : septembre 1996.

Imprimé en France

Composition et mise en page [illegible]

[illegible]

Imprimé par Bussière Camedan Imprimeries

à Saint-Amand-Montrond (Cher)

Achevé d'imprimer [illegible]

N° d'édition : [illegible] N° d'impression : [illegible]

Dépôt légal : [illegible]

Imprimé en France